CONTOS DE FADAS INDIANOS

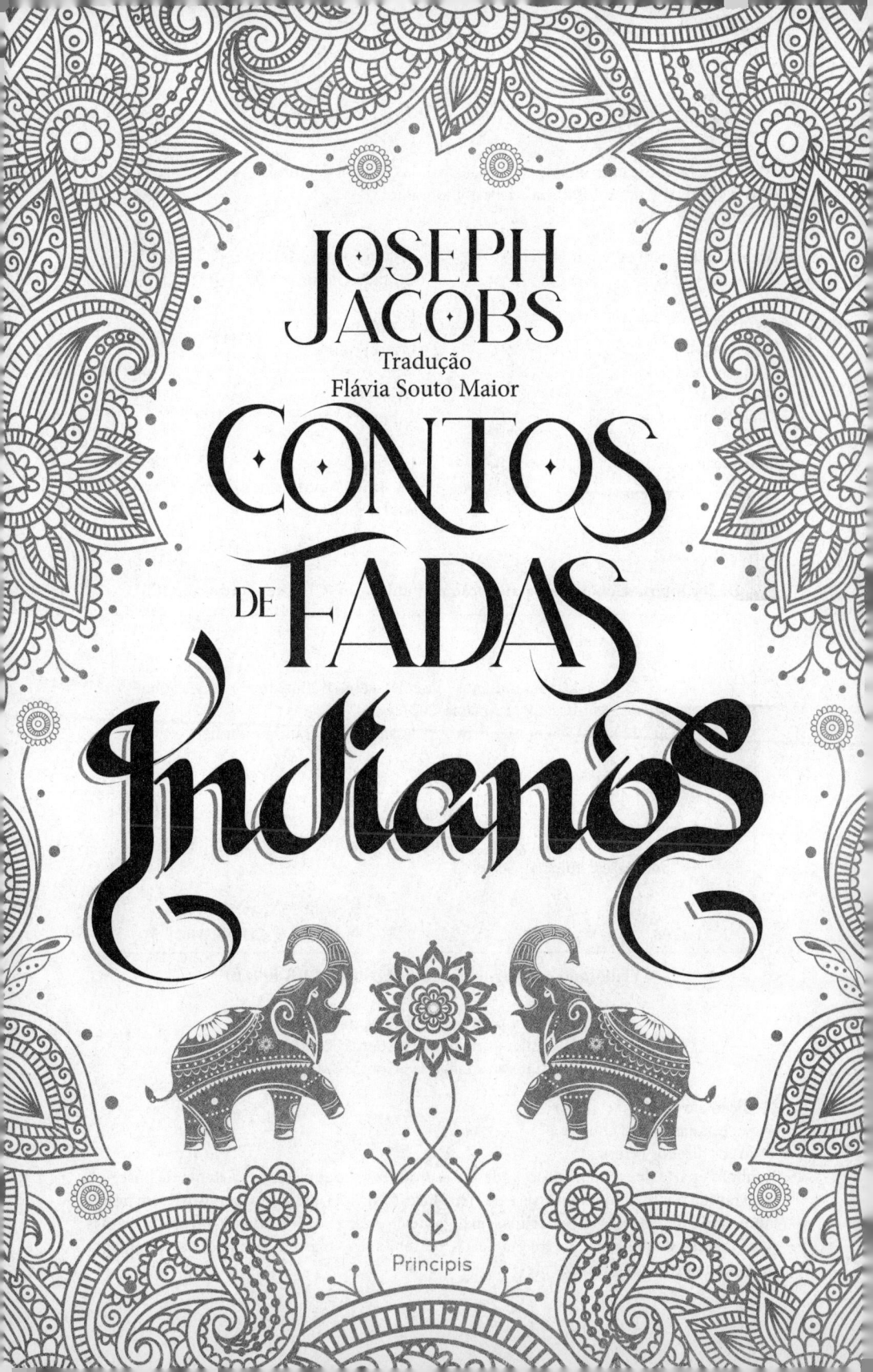

JOSEPH JACOBS

Tradução
Flávia Souto Maior

CONTOS DE FADAS INDIANOS

Principis

Esta é uma publicação Principis, selo exclusivo da Ciranda Cultural
© 2021 Ciranda Cultural Editora e Distribuidora Ltda.

Traduzido do original em inglês
Indian fairy tales

Texto
Joseph Jacobs

Tradução
Flávia Souto Maior

Preparação
Cleusa S. Quadros

Revisão
Karine Ribeiro

Produção editorial
Ciranda Cultural

Diagramação
Linea Editora

Design de capa
Ciranda Cultural

Imagens
Bariskina/Shutterstock.com;
wikki/Shutterstock.com

Dados Internacionais de Catalogação na Publicação (CIP) de acordo com ISBD

J17c	Jacobs, Joseph
	Contos de fadas indianos / Joseph Jacobs ; traduzido por Flávia Souto Maior. - Jandira, SP : Principis, 2021.
	224 p. ; 15,5cm x 22,6cm. – (Clássicos da literatura mundial)
	Tradução de: Indian fairy tales
	ISBN: 978-65-5552-511-3
	1. Literatura inglesa. 2. Contos. 3. Contos de fadas. I. Maior, Flávia Souto. II. Título. III. Série.
	CDD 823.91
2021-1708	CDU 821.111-3

Elaborado por Vagner Rodolfo da Silva - CRB-8/9410

Índice para catálogo sistemático:
1. Literatura inglesa : Contos 823.91
2. Literatura inglesa : Contos 821.111-3

1ª edição em 2021
www.cirandacultural.com.br
Todos os direitos reservados.

Sumário

Para meu querido Phil

Prefácio

Do extremo ocidente do mundo indo-europeu, este ano vamos para o extremo oriente. Da chuva leve e verdes pradarias de Gaeldom, procuramos o sol escaldante e o solo árido dos hindus. No território da Irlanda, a crença em fadas, gnomos, ogros e monstros está quase extinta. Na Índia, contudo, ela ainda prospera com todo o vigor do animismo.

Os territórios e os personagens nacionais são diferentes, mas os contos de fadas são os mesmos em enredo e acontecimentos e, porventura, em tratamento. A maioria dos que compõem este volume são conhecidos no Ocidente de uma forma ou de outra, e o problema que se apresenta é como explicar sua existência simultânea nos extremos do Ocidente e do Oriente. Alguns, como Benfey, na Alemanha; M. Cosquin, na França, e o senhor Clouston, na Inglaterra, declararam que a Índia é a Terra dos Contos de Fadas e que todos os contos de fadas europeus foram trazidos de lá pelas cruzadas, por missionários mongóis, ciganos, judeus, mercadores e viajantes. A questão ainda está em julgamento, e só é possível abordá-la como advogado de defesa. De acordo com os dados, devo estar preparado dentro de certos limites para argumentar a favor da Índia. Mais de um terço dos contos de fadas comuns entre as crianças europeias derivam da Índia. Em particular, a maioria dos contos cômicos e canções pode ser, sem muita dificuldade, remetida à Índia Peninsular.

Certamente há muitos indícios da transmissão primitiva por meios literários de um número considerável de contos cômicos e populares da Índia por volta da época das Cruzadas. As coletâneas conhecidas na Europa pelos títulos de *Fábulas de Bidpai*, *O romance dos sete sábios*, *Gesta Romanorum* e *Barlaão e Josafat* eram extremamente populares durante a Idade Média, e o conteúdo foi passado, de um lado, para os *Exempla* dos pregadores monásticos e, de outro, para as *Novelle* da Itália, contribuindo assim, após muito tempo, com sua cota para o Teatro Elisabetano. Talvez quase um décimo dos principais acontecimentos dos contos populares europeus sejam remetidos a essa fonte.

Há até mesmo indícios de um contato literário anterior entre Europa e Índia no caso de uma derivação do conto popular, a Fábula ou histórias com animais. Em uma discussão um tanto quanto elaborada[1], cheguei à conclusão de que um número considerável de fábulas que são atribuídas ao escravo sâmio Esopo eram derivadas da Índia, provavelmente da mesma fonte, uma vez que semelhantes narrativas eram utilizadas nas Jatakas ou histórias dos nascimentos de Buda. Essas Jatakas contêm grande quantidade de contos populares indianos genuínos, e formam a coletânea mais antiga de contos populares do mundo, uma espécie de Grimm indiano, reunidos mais de dois mil anos antes de os irmãos alemães saírem em sua incursão pelo folclore com resultados tão aprazíveis. Por esse motivo, incluí um número considerável deles neste volume, e ficaria surpreso se contos que despertaram risos e fascínio em budistas devotos nos últimos dois mil anos não produzissem o mesmo efeito em crianças inglesas. As Jatakas tiveram ótimos tradutores para o inglês, que as interpretaram com vigor e propósito; e eu me alegro muito por poder publicar a tradução de duas novas Jatakas, gentilmente traduzidas para o inglês para esse volume pelo senhor

---

[1] "History of the Æsopic Fable", volume introdutório de minha edição de *The Fables of Æsop*, de William Caxton (Londres, Nutt, 1889).

W. H. D. Rouse, do Christ's College, Cambridge. Em um deles, acredito ter rastreado a fonte da história do boneco de piche de "Tio Remus".

Embora os contos de fadas indianos sejam mais antigos em existência, são, ao mesmo tempo, mais novos a partir de outro ponto de vista. Pois faz apenas cerca de vinte e cinco anos que a senhorita Frere iniciou a coletânea moderna de contos populares indianos com seu encantador *Old Deccan Days* (John Murray, London, 1868; quarta edição, 1889). Seu exemplo foi seguido pela senhorita Stokes, pela senhora Steel e pelo capitão (agora major) Temple, pela pândita Natesa Sastri, pelo senhor Knowles e o senhor Campbell, assim como outros que publicaram contos populares em periódicos como o *Indian Antiquary* e *The Orientalist*. Bebeu-se muito na fonte da Índia moderna durante os últimos quatro séculos, embora a imensa extensão do país deixe espaço para incontáveis pesquisadores e coletâneas adicionais. Mesmo dentro do material já reunido, um grande número dos acontecimentos mais comuns nos contos populares europeus foi encontrado na Índia. Se nasceram ou foram levados para lá, temos muito pouca base para julgar, mas como alguns deles que ainda circulam pelo povo da Índia datam de mais de um milênio, a estimativa é favorável à origem indiana.

De todas essas origens, das Jatakas, do *Bidpai* e de coletâneas mais recentes, selecionei aquelas histórias que melhor esclarecem a origem da fábula e dos contos populares e, ao mesmo tempo, têm mais probabilidade de cativar crianças inglesas. No entanto, não incluí muitas histórias como as dos Grimm, a fim de não repetir o conteúdo dos dois volumes anteriores desta série. Isso, em certa medida, enfraqueceu o caso da Índia na representação neste livro. A necessidade de satisfazer os jovens restringiu minha seleção do renomado "Oceano de rios de histórias", *Kathá-Sarit-Ságara*, de Somadeva. As histórias em páli e sânscrito eu peguei de traduções, em sua maioria do alemão, realizadas por Benfey ou do vigoroso inglês do prof. Rhys-Davids, a quem devo agradecer por ter me permitido usar suas versões das Jatakas.

Pude tornar este livro uma coletânea representativa dos Contos de Fadas da Índia por causa da cortesia dos compiladores originais ou de seus editores. Devo um agradecimento especial à senhorita Frere, que gentilmente abriu exceção e me permitiu usar a bela história "Punchkin" e o curioso mito *Como Sol, Lua e Vento saíram para jantar*. A senhorita Stokes foi igualmente amável em me permitir usar amostras características de seu *Indian Fairy Tales*. Ao major Temple, devo o privilégio de selecionar textos de seu admirável *Wideawake Stories*. Os senhores da Kegan Paul, Trench & Co. permitiram que eu consultasse *Folk-tales of Kashmir*, do senhor Knowles, em sua Biblioteca Oriental; e os senhores da W. H. Allen foram igualmente solícitos em relação ao *Tales of the Sun*, do senhor Kingscote. O senhor M. L. Dames possibilitou que eu enriquecesse a publicação ao me conceder o uso de uma de suas coletâneas inéditas de contos populares balúchis.

Também sinto-me grato pela cooperação de meu amigo, o senhor J. D. Batten, que deu formas belas ou divertidas às criações da imaginação popular dos hindus. Não é fácil incorporar, como ele fez, o encanto e o humor tanto do celta quando do hindu. É apenas mais uma prova de que contos de fadas são mais do que celtas e hindus. São humanos.

JOSEPH JACOBS

O leão e a garça

O bodisatva certa vez veio ao mundo na região de Himavanta como uma garça branca. Na época, Brahmadatta reinava em Benares. Ocorreu que, enquanto um leão comia carne, um osso ficou preso em sua garganta. Como ela ficou inchada, ele não conseguia se alimentar e seu sofrimento era terrível. A garça, empoleirada em uma árvore em busca de comida, ao vê-lo, perguntou:

– O que te aflige, amigo? – Ele contou o motivo. – Eu poderia te livrar desse osso, mas não ouso entrar em tua boca, pois temo que me devores.

– Não temas, amigo, não vou te devorar; apenas salve minha vida.

– Pois bem – disse ela, fazendo-o deitar sobre seu lado esquerdo. Mas pensando consigo: "Quem sabe o que esse sujeito fará".

Ela posicionou um pequeno graveto entre os maxilares, de modo que o leão não pudesse fechar a boca, então inseriu a cabeça dentro da boca do leão e acertou uma ponta do osso com o bico. Em seguida, o osso se soltou e caiu. Tão logo derrubou o osso, ela saiu da boca do leão, batendo com o bico no graveto para que caísse, e depois se acomodou sobre um galho.

O leão ficou curado e, um dia, estava devorando um búfalo que havia matado. A garça, pensando: "Vou testá-lo", pousou sobre um galho bem acima de onde ele estava e, em tom de conversa, disse a primeira estrofe:

Um serviço lhe foi prestado.
Com toda minha habilidade,
Rei das feras! Vossa majestade!
Como serei recompensado?

Em resposta, o leão recitou a segunda estrofe:

Como de sangue me alimento,
E sempre caço para comer,
Fique feliz em ainda viver,
E de minha boca ter saído isento.

Então a garça disse mais duas estrofes:

És incapaz de reconhecer o bem
Que lhe fizeram no passado
Em ti não há gratidão por outrem
Eu já devia ter imaginado.

Mesmo com uma boa ação
A amizade não avança
É melhor eu partir, então
E ficar em segurança.

Após dar seu recado, a garça voou para longe.

E quando o grande Mestre, Gautama, o Buda, contava essa história, costumava acrescentar: "Naquela época, o leão era Devadatta, o Traidor, e a garça branca era eu mesmo".

Como o filho do rajá conquistou a princesa Labam

Em um país, havia um rajá cujo único filho saía todo dia para caçar. Certa vez, Rani, sua mãe, disse a ele:

– Você pode caçar onde quiser nessas três margens, mas nunca deve ir à quarta margem. – Ela disse isso porque sabia que se ele fosse até lá, ouviria falar da bela princesa Labam e então deixaria seu pai e sua mãe para ir em busca da princesa.

O jovem príncipe deu ouvidos à mãe e a obedeceu por algum tempo; mas um dia, quando estava caçando nas três margens que eram permitidas, lembrou-se do que ela havia dito sobre a quarta margem e decidiu ir até lá para ver por que estava proibido de caçar daquele lado. Ao chegar, avistou uma selva repleta de uma grande quantidade de papagaios. O jovem rajá disparou contra alguns e, de imediato, todos saíram voando. Todos, menos um, que era o rajá deles e se chamava papagaio Hiraman.

Quando o papagaio Hiraman notou que estava sozinho, gritou para os outros papagaios:

– Não fujam e me deixem sozinho quando o filho do rajá disparar. Se me abandonarem, contarei à princesa Labam.

Então, parolando, os papagaios retornaram para perto do rajá. O príncipe ficou muito surpreso e disse:

– Ora, esses pássaros sabem falar! – E perguntou aos papagaios: – Quem é a princesa Labam? Onde ela mora?

Mas os papagaios não quiseram responder.

– Jamais poderá chegar ao país da princesa Labam. – Isso foi tudo o que disseram.

O príncipe ficou muito triste quando soube que não lhe diriam mais nada; jogou a arma fora e foi para casa. Quando chegou, não falava nem comia, passou quatro ou cinco dias na cama, parecendo muito doente.

Por fim, disse aos pais que queria ir visitar a princesa Labam.

– Preciso ir – disse ele. – Preciso ver como ela é. Digam-me onde fica o país em que ela mora.

– Não sabemos onde é – responderam os pais.

– Então devo sair para procurá-lo – afirmou o príncipe.

– Não, não – disseram eles. – Não deve nos deixar. É nosso único filho. Fique conosco. Nunca encontrará a princesa Labam.

– Preciso tentar encontrá-la – disse o príncipe. – Talvez Deus me mostre o caminho. Se eu viver e a encontrar, voltarei para vocês; mas talvez eu morra e então não os veja novamente. Ainda assim, devo ir.

Dessa forma, tiveram que o deixar ir, embora tenham chorado muito na despedida. O pai lhe deu boas roupas para vestir e um belo cavalo. E ele pegou pistola, o arco e as flechas, além de muitas outras armas.

– Posso querer usá-las – disse.

O pai também lhe deu muitas rupias.

Ele mesmo preparou o cavalo para a viagem e se despediu dos pais. A mãe pegou um lenço, embrulhou uns doces e deu a ele.

– Meu filho – disse ela –, quando estiver com fome, coma alguns desses doces.

Ele então partiu em sua jornada, cavalgou e cavalgou até chegar a uma selva em que havia uma cisterna e árvores que ofereciam sombra. Ele se banhou e deu banho no cavalo, depois se sentou sob uma árvore.

– Agora – disse ele –, comerei alguns dos doces que minha mãe me deu, beberei um pouco de água e continuarei minha viagem. – Ele abriu o lenço e pegou um doce. Encontrou uma formiga nele. Pegou outro. Havia uma formiga no outro também. Então colocou os dois doces no chão e pegou mais um, e mais um, e mais um, até ter tirado todos do lenço; mas havia uma formiga em cada um. – Não importa – disse ele. – Não comerei os doces; as formigas podem ficar com ele.

Então o rajá das formigas parou diante do rapaz e disse:

– Você foi bom conosco. Se algum dia estiver em apuros, pense em mim e iremos até você.

O filho do rajá agradeceu, montou no cavalo e continuou a jornada. Ele cavalgou e cavalgou até chegar a outra selva, onde viu um tigre com um espinho na pata, que soltava rugidos altos de dor.

– Por que está rugindo assim? – perguntou o jovem rajá. – O que aconteceu com você?

– Estou com um espinho na pata há doze anos – respondeu o tigre. – É muito dolorido, por isso estou rugindo.

– Bem – disse o filho do rajá. – Vou tirá-lo para você. Mas, por ser um tigre, depois que eu o ajudar talvez você queira me devorar.

– Ah, não – disse o tigre. – Não vou devorar você. Ajude-me a ficar bom.

Então o príncipe tirou uma pequena faca do bolso e retirou o espinho da pata do tigre; mas, quando o cortou, o tigre rugiu mais alto do que nunca, tão alto que sua esposa o ouviu de uma selva próxima e chegou correndo para ver o que estava acontecendo. Ao ver que ela se aproximava, o tigre escondeu o príncipe no meio das árvores.

– Que homem o feriu para você rugir tão alto? – perguntou a esposa.

– Ninguém me feriu – respondeu o marido –, mas o filho do rajá veio e tirou o espinho da minha pata.

– Onde ele está? Mostre-o para mim – pediu a esposa.

– Se prometer não o matar, eu o chamo – afirmou o tigre.

– Não o matarei; apenas me deixe vê-lo – respondeu a esposa.

O tigre chamou o filho do rajá e, quando ele veio, o tigre e a esposa lhe fizeram muitos agradecimentos. Ofereceram-lhe um bom jantar e ele lhes fez companhia por três dias. Todas as manhãs ele olhava para a pata do tigre; e no terceiro dia, já estava praticamente curada. Então se despediu do casal, e o tigre disse:

– Se algum dia estiver em apuros, pense em mim e iremos até você.

O filho do rajá cavalgou e cavalgou até chegar a uma terceira selva. Lá, encontrou quatro faquires, cujo professor e mestre havia morrido e deixado quatro coisas: uma cama capaz de transportar quem sentasse sobre ela para qualquer lugar que desejasse; uma bolsa que dava a quem a possuísse tudo o que quisesse: joias, alimentos ou roupas; uma tigela de pedra que dava a seu dono quanta água desejasse, independentemente de que distância estivesse de uma fonte; e um bastão com uma corda ao qual seu dono precisava apenas dizer, caso alguém viesse lhe enfrentar: "Bastão, acerte todos os homens e soldados que estão aqui", e o bastão os acertaria e a corda os amarraria.

Os quatro faquires estavam brigando por aquelas quatro coisas. Um disse:

– Eu quero isso.

Outro disse:

– Não pode ficar com isso, pois eu também quero. – E assim por diante.

O filho do rajá disse a eles:

– Não briguem por essas coisas. Dispararei quatro flechas em quatro direções diferentes. Quem chegar antes à primeira flecha, fica com o primeiro item: a cama. Quem chegar à segunda flecha, fica com o segundo: a bolsa. Aquele que chegar à terceira flecha, fica com o terceiro: a tigela. E o que chegar à quarta flecha deve ficar com o quarto item: o bastão com a corda.

Eles concordaram, e o príncipe disparou a primeira flecha. Os faquires saíram correndo para pegá-la. Quando a trouxeram de volta, ele disparou a segunda e, quando a encontraram e a trouxeram de volta, ele disparou a terceira. Ao voltarem com ela, ele disparou a quarta.

Enquanto procuravam a quarta flecha, o filho do rajá soltou seu cavalo na selva e se sentou sobre a cama, pegando a tigela, o bastão com a corda e a bolsa. Então disse:

– Cama, eu gostaria de ir ao país da princesa Labam. – A pequena cama instantaneamente elevou-se no ar e começou a voar, e voou, e voou até chegar ao país da princesa Labam, onde aterrissou. O filho do rajá perguntou a alguns homens que encontrou: – De quem é este país?

– É o país da princesa Labam – responderam.

Então o príncipe continuou até chegar a uma casa, onde viu uma senhora.

– Quem é você? – perguntou ela. – De onde vem?

– Venho de um país distante – respondeu ele. – Deixe-me passar esta noite aqui.

– Não – retrucou ela. – Não posso deixá-lo passar a noite aqui, pois nosso rei ordenou que homens de outros países não podem ficar no país dele. Você não pode ficar na minha casa.

– A senhora é minha tia – disse o príncipe. – Deixe-me passar esta noite aqui. Veja só, já está anoitecendo. Se eu entrar na selva, os animais selvagens vão me devorar.

– Bem – disse a senhora –, permitirei, mas deve partir amanhã de manhã, pois se o rei souber que dormiu em minha casa, mandará me prender.

Ela então levou o filho do rajá para casa e ele ficou muito contente. A senhora começou a preparar o jantar, mas foi interrompida.

– Titia – disse o rapaz –, eu lhe darei alimento. – Ele colocou a mão na bolsa, dizendo: – Bolsa, desejo algo para jantar. – Instantaneamente, a bolsa lhe deu um delicioso jantar, servido em dois pratos de ouro. A senhora e o filho do rajá jantaram juntos.

Quando terminaram de comer, a senhora disse:

– Agora pegarei um pouco de água.

– Não vá – disse o príncipe. – Terá água suficiente agora mesmo. – Ele pegou a tigela e disse: – Tigela, quero um pouco de água. – E ela se encheu de água. Quando estava cheia, o príncipe gritou: – Pare, tigela. – E a tigela parou. – Viu, titia. Com essa tigela, sempre tenho toda água que quiser.

Àquela altura, anoiteceu.

– Titia – disse o filho do rajá. – Por que não acende uma lâmpada?

– Não há necessidade – respondeu ela. – Nosso rei proibiu seus súditos de acender lâmpadas no país. Assim que escurece, sua filha, a princesa Labam, senta-se sobre o telhado e brilha, iluminando o país todo e todas as casas. Assim podemos enxergar o que estamos fazendo como se fosse dia.

Quando a noite já estava bem escura, a princesa se levantou, vestiu-se com ricas roupas, colocou joias, prendeu os cabelos e enfeitou a cabeça com diamantes e pérolas. Em seguida, saiu do quarto e se sentou sobre o telhado do palácio, brilhando como a lua, e sua beleza transformou a noite em dia. Durante o dia, ela nunca saía de casa; saía apenas à noite. Todo o povo do país de seu pai, desse modo, prosseguia com o trabalho e o finalizava.

O filho do rajá observou a princesa atentamente, ficou muito feliz e disse:

– Como é encantadora!

À meia-noite, quando todos já tinham ido para a cama, a princesa desceu do telhado e foi para o quarto. Quando ela se deitou e pegou no sono, o filho do rajá se levantou com cuidado e se sentou sobre a cama voadora.

– Cama – disse ele –, quero ir ao quarto da princesa Labam. – E a caminha o transportou até o quarto em que ela dormia profundamente.

O jovem rajá pegou a bolsa e disse:

– Quero muitas folhas de bétel. – E a bolsa imediatamente lhe deu grandes quantidades da folha. Ele as colocou perto da cama da princesa e depois sua caminha o transportou de volta para a casa da senhora.

Na manhã seguinte, os criados da princesa encontraram as folhas de bétel e puseram-se a mascá-las.

– Onde conseguiram todas essas folhas de bétel? – perguntou a princesa.

– Encontramos perto de sua cama – responderam os criados. Ninguém sabia que o príncipe havia entrado durante a noite e as colocado ali.

Pela manhã, a senhora se aproximou do filho do rajá.

– Já é dia – disse ela. – Você precisa ir, pois se o rei descobrir o que fiz por você, serei presa.

– Estou enfermo, querida tia – disse o príncipe. – Deixe-me ficar até amanhã cedo.

– Está bem – disse a senhora. Ele ficou, e eles tiraram o jantar da bolsa e a tigela lhes deu água.

Quando anoiteceu, a princesa se levantou e sentou no telhado. À meia-noite, quando todos estavam na cama, ela foi para o quarto e logo adormeceu. Então, o filho do rajá se sentou sobre a cama voadora e foi transportado até a princesa. Ele pegou a bolsa e disse:

– Bolsa, quero um belíssimo xale. – Ela lhe deu um xale esplêndido e ele o estendeu sobre a princesa adormecida. Depois voltou para a casa da senhora e dormiu até amanhecer.

De manhã, quando a princesa viu o xale, ficou encantada.

– Khuda deve ter me dado este xale. É tão lindo.

Sua mãe também ficou muito feliz.

– Sim, minha filha – disse ela. – Khuda deve ter lhe dado este esplêndido xale.

Quando amanheceu, a senhora disse ao filho do rajá:

– Agora você deve mesmo ir.

– Titia – respondeu ele –, ainda não estou muito bem. Deixe-me ficar mais alguns dias. Ficarei escondido dentro de sua casa, de modo que ninguém possa me ver. – Então a senhora o deixou ficar.

Quando a noite estava bem escura, a princesa vestiu suas belas roupas e joias e se sentou no telhado. À meia-noite, dirigiu-se ao quarto e foi dormir. Então o filho do rajá se sentou na cama voadora e foi até o quarto dela. Chegando lá, disse à bolsa:

– Bolsa, quero um anel muito, muito bonito. – A bolsa lhe deu um anel glorioso. Ele pegou a mão da princesa Labam com toda delicadeza para colocar o anel em seu dedo, e ela acordou muito assustada.

– Quem é você? – perguntou ela. – De onde veio? Por que está no meu quarto?

– Não tema, princesa – disse ele. – Não sou ladrão. Sou filho de um grande rajá. O papagaio Hiraman, que vive na selva em que fui caçar, me disse seu nome. Então eu deixei meu pai e minha mãe e vim procurá-la.

– Bem – disse a princesa –, como é filho de um grande rajá, não mandarei matá-lo e direi a meu pai e minha mãe que desejo me casar com você.

O príncipe então voltou à casa da senhora e, quando amanheceu, a princesa disse à mãe:

– O filho de um grande rajá veio a este país e eu desejo me casar com ele.

A mãe contou ao rei.

– Ótimo – disse o rei. – Mas se esse filho de rajá deseja se casar com minha filha, deverá fazer tudo o que eu pedir. Se falhar, eu o matarei. Eu lhe darei quarenta quilos de sementes de mostarda, das quais deve extrair o óleo em apenas um dia. Se não conseguir, deve morrer.

Pela manhã, o filho do rajá contou à senhora que pretendia se casar com a princesa.

– Oh – disse a senhora –, vá embora desse país e nem pense em se casar com ela. Muitos rajás e filhos de rajás estiveram aqui para se casar com ela, e o pai mandou matar todos. Ele diz que qualquer um que quiser se casar com sua filha primeiro deve fazer tudo o que ele pedir. Se conseguir, poderá se casar com a princesa; se não conseguir, o rei mandará matá-lo. Mas ninguém consegue fazer as coisas que o rei pede; então todos os rajás e filhos de rajás que tentaram foram mortos. Você também será morto se tentar. Vá embora. – Mas o príncipe não deu ouvidos a nada do que ela disse.

O rei mandou chamar o príncipe na casa da senhora, e seus criados o levaram até ele. Ali, o rei lhe entregou quarenta quilos de sementes de mostarda e lhe disse para extrair todo o óleo naquele mesmo dia e entregar em sua corte na manhã seguinte.

– Quem quiser se casar com minha filha – disse ele ao príncipe –, deve primeiro fazer tudo o que eu pedir. Se não conseguir, mandarei matá-lo. Assim, se não conseguir extrair todo o óleo dessas sementes de mostarda, morrerá.

O príncipe ficou muito triste quando ouviu aquilo.

– Como posso extrair o óleo de todas essas sementes de mostarda em um dia? – ele disse a si mesmo. – E se não o fizer, o rei me matará.

Ele levou as sementes de mostarda para a casa da senhora e não sabia o que fazer. Por fim, lembrou-se do rajá das formigas e, no mesmo instante, ele e suas formigas o encontraram.

– Por que está tão triste? – perguntou o rajá das formigas.

O príncipe mostrou as sementes de mostarda a ele e disse:

– Como posso extrair o óleo de todas essas sementes de mostarda em um dia? E se eu não levar o óleo ao rei amanhã de manhã, ele me matará.

– Alegre-se – disse o rajá das formigas. – Deite-se e durma. Extrairemos todo o óleo para você durante o dia e amanhã de manhã poderá levar ao rei. – O filho do rajá deitou-se e dormiu, e as formigas extraíram todo o óleo para ele. O príncipe ficou muito feliz ao ver o óleo.

Na manhã seguinte, ele levou o óleo à corte do rei. Mas o rei disse:

– Ainda não pode se casar com minha filha. Se deseja fazê-lo, deve primeiro lutar com meus dois demônios e matá-los.

O rei, havia muito tempo, capturara dois demônios e, como não sabia o que fazer com eles, trancou-os em uma jaula. Ele temia soltá-los por medo de que devorassem todo seu povo, e não sabia como matá-los. Assim, todos os reis e filhos de reis que desejassem se casar com a princesa Labam tinham que lutar com esses demônios. "Pois", pensava o rei, "talvez os demônios possam ser mortos e eu me livre deles".

Quando soube dos demônios, o filho do rajá ficou muito triste.

– O que posso fazer? – disse ele a si mesmo. – Como posso lutar com esses dois demônios? – Então pensou no tigre. E o tigre e sua esposa o encontraram.

– Por que está tão triste? – perguntou o tigre.

O filho do rajá respondeu:

– O rei ordenou que eu lutasse com dois demônios e os matasse. Como posso fazer isso?

– Não tema – disse o tigre. – Alegre-se. Eu e minha esposa lutaremos com eles por você.

O filho do rajá tirou dois casacos magníficos da bolsa. Eram de ouro e prata, cobertos de pérolas e diamantes. Vestiu-os nos tigres para deixá-los belos, levou-os até o rei e perguntou:

– Esses tigres podem lutar com seus demônios por mim?

– Sim – respondeu o rei. Não importava quem mataria seus demônios, contanto que fossem mortos.

– Chame seus demônios, então – disse o filho do rajá. – E esses tigres lutarão com eles.

O rei os trouxe e eles lutaram com os tigres até que estes os matassem.

– Muito bem! – disse o rei. – Mas você deve fazer mais uma coisa antes de eu lhe conceder minha filha. No céu tenho um tambor; você deve ir até lá e tocá-lo. Se não conseguir, eu o matarei.

O filho do rajá pensou na cama voadora; então foi até a casa da senhora e sentou-se sobre a caminha.

– Caminha – disse ele –, lá no céu está o tambor do rei. Quero ir até lá. – A cama voou com ele, o filho do rajá tocou o tambor e o rei ouviu. Ainda assim, quando ele desceu, o rei se recusou a lhe dar a mão da filha.

– Você fez as três coisas que pedi – disse ele ao príncipe. – Mas deve fazer mais uma.

– Se eu puder, farei – respondeu o filho do rajá.

O rei então lhe mostrou o tronco de uma árvore que ficava ao lado de seu palácio. Era um tronco muito, muito grosso. Ele deu ao príncipe uma machadinha de cera e disse:

– Amanhã de manhã deve partir este tronco em dois com esta machadinha de cera.

O filho do rajá voltou à casa da senhora. Ele estava muito triste, achando que agora o rei certamente o mataria.

– O óleo foi extraído pelas formigas – disse ele a si mesmo. – Os demônios foram mortos pelos tigres. Minha cama me ajudou a tocar o tambor.

Mas, agora, o que posso fazer? Como posso partir aquele tronco grosso em dois com uma machadinha de cera?

À noite, ele subiu na cama voadora para visitar a princesa.

– Amanhã – disse ele – seu pai me matará.

– Por quê? – perguntou a princesa.

– Ele me pediu para partir um tronco grosso em dois usando uma machadinha de cera. Como poderei fazer uma coisa dessas? – disse o filho do rajá.

– Não tema – disse a princesa. – Faça o que eu pedir e cortará o tronco com muita facilidade. – Ela então arrancou um fio de cabelo e o entregou ao príncipe. – Amanhã, quando não houver ninguém por perto, deve dizer ao tronco da árvore: "A princesa Labam ordena que se deixe partir em dois por esse fio de cabelo". E estique o fio sobre a lâmina da machadinha de cera.

No dia seguinte, o príncipe fez exatamente o que a princesa havia dito; e no instante em que o fio de cabelo esticado sobre a lâmina da machadinha tocou o tronco da árvore, ele se partiu em dois.

O rei declarou:

– Agora pode se casar com minha filha.

E o casamento aconteceu. Todos os rajás e reis dos países vizinhos foram convidados a participar e houve uma grande celebração. Após alguns dias, o filho do rajá disse à esposa:

– Vamos visitar o país de meu pai.

O pai da princesa Labam lhes deu uma boa quantidade de camelos, cavalos, rupias e criados, então eles viajaram em grande estilo ao país do príncipe, onde viveram felizes.

O príncipe ficou com a bolsa, a tigela e o bastão para sempre, mas, como ninguém jamais declarou guerra a ele, nunca precisou usar o bastão.

O cordeirinho

Era uma vez um cordeirinho bem pequeno que saltitava alegremente com suas perninhas cambaleantes.

Um dia, saiu para visitar sua vovozinha e estava exultante ao pensar em todas as coisas boas que ela lhe daria, quando encontrou um chacal que olhou para o jovem e macio bocado e disse:

– Cordeirinho! Cordeirinho! Vou TE DEVORAR!

Mas o cordeirinho deu um saltinho e disse:

"A vovó vou visitar.

Lá, devo engordar.

E então poderá me devorar".

O chacal considerou a proposta sensata e deixou o cordeirinho passar.

Pouco depois, ele encontrou um abutre que, olhando com avidez para o macio bocado, disse:

– Cordeirinho! Cordeirinho! Vou TE DEVORAR!

Mas o cordeirinho apenas deu um saltinho e disse:

"A vovó vou visitar.

Lá, devo engordar.

E então poderá me devorar".

O abutre considerou a proposta sensata e deixou o cordeirinho passar.

Pouco depois, ele encontrou um tigre, depois um lobo, um cachorro, uma águia e todos eles, ao verem o macio bocadinho, disseram:

– Cordeirinho! Cordeirinho! Vou TE DEVORAR!

A cada um deles, o cordeirinho respondeu com um saltinho:

"A vovó vou visitar.

Lá, devo engordar.

E então poderá me devorar".

Finalmente ele chegou à casa da vovozinha e disse com muita pressa:

– Querida vovozinha, prometi que ficaria bem gordo. E, como devemos cumprir nossas promessas, por favor, coloque-me *imediatamente* no silo de milho.

Então a avó disse que ele era um bom menino e o colocou no silo de milho, onde o voraz cordeirinho ficou durante sete dias, comendo, comendo, comendo, até mal conseguir caminhar. E sua vovozinha disse que ele já estava gordo o bastante e deveria ir para casa. Mas o perspicaz cordeirinho falou que não poderia voltar, pois estava tão rechonchudo e tenro que certamente algum animal o devoraria no caminho.

– Eu lhe direi o que devemos fazer – disse o cordeirinho. – Faça um tamborzinho com a pele de meu irmão mais novo que morreu, e eu entrarei nele e irei rolando para casa.

Então a avó fez um belo tamborzinho com a pele do irmão, forrado de lã internamente. O cordeirinho se encolheu e se acomodou confortavelmente dentro dele e saiu rolando alegremente. Logo encontrou a águia, que gritou:

– Tamborzinho! Tamborzinho! Você viu o cordeirinho?

E o Cordeirinho, encolhido em seu ninho macio e quente, respondeu:

– Ele caiu no fogo, e o próximo serás tu. Ouça o tamborzinho. Tum-pá, tum-tu!

– Que importuno! – exclamou a águia com um suspiro, pensando com pesar no macio bocado que havia deixado escapar.

Enquanto isso, o cordeirinho seguia em frente, rindo e cantando:

– Tum-pá, tum-tu! Tum-pá, tum-tu!

Todos os animais e pássaros que ele encontrou fizeram-lhe a mesma pergunta:

– Tamborzinho! Tamborzinho! Você viu o cordeirinho?

A cada um deles, o espertinho respondeu:

– Ele caiu no fogo, e o próximo serás tu. Ouça o tamborzinho. Tum-pá, tum-tu! Tum-pá, tum-tu! Tum-pá, tum-tu!

E todos suspiraram pensando no macio bocado que haviam deixado escapar.

Por fim, apareceu o chacal mancando, com o olhar triste e penetrante como uma agulha, e também gritou:

– Tamborzinho! Tamborzinho! Você viu o cordeirinho?

E o cordeirinho, encolhido em seu ninho aconchegante, respondeu alegremente:

– Ele caiu no fogo, e o próximo serás tu. Ouça o tamborzinho. Tum-pá…

Mas não conseguiu terminar, pois o chacal reconheceu sua voz imediatamente e disse:

– Olá! Virou do avesso, não é? Saia logo daí!

Em seguida, rasgou o tamborzinho e engoliu o cordeirinho.

Punchkin

Era uma vez um rajá que tinha sete lindas filhas. Todas boas meninas, porém a mais nova, Balna, era mais esperta que as outras. A esposa do rajá havia morrido quando elas eram pequenas, deixando as sete pobres princesas sem os cuidados da mãe.

As filhas do rajá se revezavam para preparar o jantar do pai todos os dias, enquanto ele estava ausente deliberando com seus ministros sobre assuntos do país.

Mais ou menos na mesma época, morreu Prudhan, deixando viúva e uma filha. Todos os dias, quando as sete princesas estavam preparando o jantar do pai, a viúva e a filha do Prudhan imploravam por um pouco de fogo. Balna costumava dizer às irmãs:

– Mandem essa mulher embora; mandem-na embora. Ela que acenda o fogo em sua própria casa. O que quer com o nosso? Se permitirmos que ela venha aqui, algum dia sofreremos com isso.

Mas as outras irmãs respondiam:

– Fique quieta, Balna. Por que sempre tem que discutir com essa pobre mulher? Deixe que pegue um pouco de fogo, se quiser.

Então a viúva do Prudhan ia até a lareira e pegava alguns gravetos em brasa. Quando ninguém estava olhando, ela rapidamente jogava um pouco de lama nos pratos que estavam sendo preparados para o jantar do rajá.

O rajá gostava muito das filhas. Desde a morte da mãe, elas cozinhavam para ele com as próprias mãos para evitar o risco de ser envenenado por seus inimigos. Certa vez, ele encontrou a lama misturada em seu jantar, achou que devia ter sido algum descuido, visto que não parecia provável que alguém tivesse colocado lama ali de propósito. Como era muito gentil, não quis repreendê-las por isso, embora este estrago tivesse se repetido vários dias seguidos.

Finalmente, um dia ele decidiu se esconder e observar as filhas cozinhando para ver como tudo acontecia. Então, ficou no cômodo vizinho e as observou por um buraco na parede.

Lá, viu as sete filhas lavando o arroz com cuidado e preparando o curry. Conforme cada prato era finalizado, elas os colocavam perto do fogo para cozinhá-los. Em seguida, viu a viúva do Prudhan aproximar-se da porta e implorar por alguns gravetos em brasa para preparar seu jantar. Balna virou-se para ela com rispidez e perguntou:

– Por que não acende o fogo em sua própria casa em vez de vir pegar o nosso todos os dias? Irmãs, não deem mais lenha a essa mulher. Ela que compre para si mesma.

A irmã mais velha respondeu:

– Balna, deixe a pobre mulher pegar a lenha e o fogo; ela não nos faz mal nenhum.

Mas Balna respondeu:

– Se a deixarem entrar aqui tantas vezes, algum dia acabará nos fazendo algum mal e nós nos arrependeremos.

O rajá então viu a viúva do Prudhan ir até o local onde estava seu jantar cuidadosamente preparado. Enquanto pegava a lenha, ela jogou um pouco de lama em cada um dos pratos.

O rajá ficou muito zangado, ordenou que a mulher fosse detida e levada a ele. No entanto, quando a viúva chegou, disse que havia usado aquele truque porque queria ter uma audiência com ele. Então ela argumentou com tanta inteligência e o agradou tanto com suas palavras sagazes que, em vez de puni-la, o rajá se casou com ela e transformou-a em sua rani. Ela e sua filha foram morar no palácio.

A nova rani odiava as sete pobres princesas e queria, se possível, tirá-las do caminho para que sua filha pudesse ficar com todas as riquezas e viver no palácio como princesa no lugar delas. Em vez de ser grata por terem sido gentis com ela, fez tudo o que pôde para que fossem infelizes. Dava apenas pão para elas comerem, pouco, e pouca água para beberem, de modo que aquelas sete pobres princesas, acostumadas durante toda a vida a bastante conforto, a boa comida e boas roupas, estavam tristes e infelizes. Todos os dias, elas saíam para visitar o túmulo da mãe e lá choravam e diziam:

– Ah, mãe, mãe, não pode ver como suas pobres filhas estão infelizes e quanta fome passamos por culpa de nossa cruel madrasta?

Um dia, enquanto soluçavam e choravam, foram surpreendidas por um belo pé de pomelo que cresceu sobre túmulo, carregado de frutas maduras. As meninas mataram a fome e, todos os dias que se seguiram, em vez de tentarem comer o péssimo jantar que a madrasta lhes dava, saíam para visitar o túmulo da mãe e comer os pomelos que cresciam na bela árvore que lá havia.

Então, a rani disse à filha:

– Não sei como, mas todos os dias aquelas sete meninas dizem que não querem jantar, não comem nada e mesmo assim não emagrecem, não parecem doentes; estão melhores que você. Não sei como. – E pediu que ela observasse as sete princesas para ver se alguém lhes dava algo de comer.

No dia seguinte, quando as princesas foram ao túmulo da mãe e estavam comendo os belos pomelos, a filha do Prudhan as seguiu e as viu colhendo as frutas.

Então Balna disse às irmãs:

– Não estão vendo aquela menina nos observando? Vamos mandá-la embora, ou esconder os pomelos, senão ela contará tudo para sua mãe e será muito ruim para nós.

Mas as irmãs disseram:

– Ah, não. Não seja má, Balna. A menina nunca seria tão cruel a ponto de contar para a mãe. Vamos convidá-la para comer algumas frutas. – E a chamaram e lhe deram um pomelo.

Assim que terminou de comer, no entanto, a filha do Prudhan foi para casa e contou para a mãe:

– Não é de se estranhar que as sete princesas não comam o jantar que prepara para elas. Perto do túmulo de sua mãe há um belo pé de pomelo, e elas vão lá todos os dias e comem as frutas. Eu comi um e foi o melhor que já provei.

A cruel rani ficou muito irritada ao ouvir aquilo e, no dia seguinte, ficou no quarto e disse ao rajá que estava com uma terrível dor de cabeça. O rajá lamentou profundamente e perguntou à esposa:

– O que posso fazer por você?

Ela respondeu:

– Há apenas uma coisa que pode melhorar minha dor de cabeça. Perto do túmulo de sua falecida esposa, há um belo pé de pomelo. Você deve trazê-lo até aqui e fervê-lo por inteiro, raiz e galhos, e colocar um pouco da água na qual ele foi fervido em minha testa. Isso curará minha dor de cabeça.

O rajá ordenou que seus criados arrancassem o belo pé de pomelo pela raiz, e fez o que a rani havia pedido. Quando um pouco da água na qual a árvore havia sido fervida foi colocada em sua testa, ela disse que a dor de cabeça passou e que estava se sentindo muito bem.

No dia seguinte, quando as sete princesas foram, como de costume, ao túmulo da mãe, o pé de pomelo havia desaparecido. Todas começaram a chorar amargamente.

Agora, perto do túmulo da rani havia uma pequena cisterna. Enquanto choravam, elas viram o tanque se encher com uma substância cremosa, que rapidamente endureceu e se transformou em um bolo denso. Ao verem aquilo, todas as princesas ficaram felizes, comeram um pouco de bolo e gostaram muito. No dia seguinte, a mesma coisa aconteceu e assim por muitos dias. Todas as manhãs, as princesas iam ao túmulo da mãe e encontravam a pequena cisterna repleta de bolo nutritivo e cremoso. Então, a cruel madrasta disse à sua filha:

– Não sei como. Mandei destruir o pé de pomelo que ficava perto do túmulo da rani, mas as princesas ainda assim não emagrecem, não parecem mais tristes, mesmo não comendo o jantar que dou a elas. Não sei como!

E a filha afirmou:

– Eu as observarei.

No dia seguinte, enquanto as princesas comiam o bolo cremoso, a filha da madrasta apareceu. Balna a viu primeiro e disse:

– Vejam, irmãs, lá vem aquela menina novamente. Vamos sentar ao redor da cisterna para impedir que ela veja, pois se lhe dermos um pedaço de nosso bolo, ela contará tudo para sua mãe e será muito ruim para nós.

As outras irmãs, no entanto, acharam que as suspeitas de Balna eram desnecessárias, e em vez de seguir seu conselho, deram um pedaço de bolo à filha do Prudhan, e ela foi para casa e contou tudo para a mãe.

A rani, ao saber como as princesas estavam passando bem, ficou extremamente zangada. Ela mandou seus criados derrubarem o túmulo da falecida rainha e encherem a cisterna com os escombros. Não satisfeita, no dia seguinte ela fingiu estar muito, muito doente, prestes a morrer, e quando o rajá ficou muito aflito e lhe perguntou se havia algum remédio que ele pudesse conseguir, ela disse:

– Apenas uma coisa pode salvar minha vida, mas sei que não a fará.

Ele respondeu:

– Seja o que for, eu farei.

E ela disse:

– Para salvar minha vida, deve matar as sete filhas de sua primeira esposa e colocar um pouco do sangue delas em minha testa e na palma de minhas mãos. A morte delas será minha vida.

Ao ouvir aquilo, o rajá ficou desolado; mas, por medo de não honrar sua palavra, saiu com o coração aflito para procurar as filhas.

Ele as encontrou chorando perto das ruínas do túmulo da mãe.

Sentindo que não conseguiria matá-las, o rajá conversou com elas de forma amigável e pediu que o acompanhassem até selva. Lá, fez uma fogueira, preparou um pouco de arroz e deu a elas. Mas à tarde, por estar muito calor, as sete princesas adormeceram. Quando viu que elas estavam dormindo foi embora e as deixou (por medo da esposa), dizendo a si mesmo:

– É melhor minhas pobres filhas morrerem aqui do que serem mortas pela madrasta.

Depois, ele matou um cervo e, ao voltar para casa, colocou um pouco do sangue na testa e nas mãos da rani. Ela achou que ele havia realmente matado as princesas e disse que se sentia muito bem.

Enquanto isso, as sete princesas acordaram e, quando se viram sozinhas no meio da selva, ficaram com muito medo e começaram a chamar o pai o mais alto possível, na esperança de que ele as ouvissem. Mas àquela altura, ele já estava bem distante e não conseguiria ouvi-las nem se suas vozes fossem fortes como trovões.

Acontece que, naquele mesmo dia, os sete jovens filhos do rajá de um país vizinho estavam caçando naquela mesma selva e, voltando para casa após um dia de atividades, o príncipe mais novo disse aos irmãos:

– Esperem, ouvi alguém gritando e chamando. Não estão ouvindo vozes? Vamos na direção do som e descobriremos o que é.

Assim, os sete príncipes cavalgaram pela floresta até chegarem ao local onde as sete princesas choravam e retorciam as mãos de preocupação. Ao vê-las, os jovens príncipes ficaram perplexos e ainda mais ao ouvir toda a história. Decidiram que cada um levaria uma daquelas pobres moças desamparadas para casa e se casaria com ela.

Então o primeiro e mais velho príncipe levou a princesa mais velha para casa e se casou com ela.

E o segundo levou a segunda.

E o terceiro levou a terceira.

E o quarto levou a quarta.

E o quinto levou a quinta.

E o sexto levou a sexta.

E o sétimo e mais belo de todos levou a formosa Balna.

Quando chegaram ao seu reino, houve muitas celebrações pelo casamento dos sete jovens príncipes com aquelas sete belas princesas.

Cerca de um ano depois, Balna teve um filho, e seus tios e tias gostavam tanto do menino que era como se tivesse sete pais e sete mães. Os outros príncipes e princesas não tiveram filhos, então o filho do sétimo príncipe com Balna era reconhecido como herdeiro por todos.

Eles viveram felizes por um tempo, quando um belo dia o sétimo príncipe (marido de Balna) disse que sairia para caçar e assim partiu. Eles o esperaram por muito tempo, porém ele jamais voltou.

Então os seis irmãos disseram que sairiam para ver o que havia acontecido com ele e partiram. Mas também não retornaram.

As sete princesas sofreram muito, pois temiam que seus amáveis maridos pudessem ter sido mortos.

Um dia, não muito tempo depois do ocorrido, enquanto Balna balançava o berço de seu bebê e suas irmãs trabalhavam no cômodo abaixo, chegou à porta do palácio um homem vestindo uma longa túnica preta, que disse ser um faquir e estar pedindo esmolas. Os criados lhe disseram:

– Você não pode entrar no palácio; os filhos do rajá se foram, achamos que podem estar mortos, e as viúvas não podem ser incomodadas com seus pedidos.

Mas ele disse:

– Sou um homem santo, devem me deixar entrar.

Então os criados estúpidos o deixaram caminhar pelo palácio, mas não sabiam que ele não era um faquir, mas um mago malvado chamado Punchkin.

O faquir Punchkin vagou pelo palácio e lá viu muitas coisas belas, até chegar ao quarto em que Balna cantava ao lado do berço de seu garotinho. O mago a achou mais bela do que todas as outras coisas belas que havia visto, tanto que pediu que ela fosse embora com ele para que se casassem. Mas ela respondeu:

– Temo que meu marido esteja morto, mas meu filho ainda é muito jovem. Ficarei aqui e o criarei para ser um homem inteligente, e quando ele crescer poderá sair pelo mundo e tentar saber notícias de seu pai. Que os céus me livrem de abandoná-lo ou me casar com você.

O mago ficou muito zangado ao ouvir aquelas palavras, transformou-a em uma cachorrinha preta e a levou, dizendo:

– Já que não quer vir comigo por vontade própria, irá obrigada.

E assim a pobre princesa foi levada, sem possibilidade nenhuma de conseguir fugir ou de avisar as irmãs sobre o que havia acontecido com ela. Quando Punchkin passou pelo portão do palácio, os criados lhe perguntaram:

– Onde conseguiu essa linda cachorrinha?

E ele respondeu:

– Uma das princesas me deu de presente.

Ao ouvir aquilo, eles o deixaram partir sem mais questionamentos.

Logo depois, as seis princesas mais velhas ouviram o bebê, seu sobrinho, chorar e, quando foram ao andar de cima, ficaram surpresas ao encontrá-lo sozinho. Ninguém sabia onde estava Balna. Elas perguntaram aos criados e, ao ficarem sabendo do faquir e da cachorrinha preta, imaginaram o que havia acontecido e enviaram homens em todas as direções para procurá--los, mas nem o faquir nem a cadela foram encontrados. O que seis pobres mulheres poderiam fazer? Perderam todas as esperanças de reverem os maridos, a irmã e o marido dela novamente e então dedicaram-se dali em diante à criação e educação do pequeno sobrinho.

O tempo passou, até que o filho de Balna completou catorze anos. Um dia, as tias lhe contaram a história da família e, tão logo a ouviu, foi tomado por um grande desejo de sair em busca de seu pai, sua mãe e seus tios e os levar de volta para casa se conseguisse encontrá-los com vida. As tias, ao saberem de sua determinação, ficaram alarmadas e tentaram dissuadi-lo, dizendo:

– Perdemos nossos maridos, nossa irmã e o marido dela e você é nossa única esperança. Se for embora, o que vamos fazer?

Mas ele respondeu:

– Rogo que não desanimem. Voltarei logo e, se possível, trarei meus pais e meus tios comigo.

Ele saiu em viagem, mas, durante alguns meses, não descobriu nada que o ajudasse em sua busca.

Por fim, depois de viajar muitas centenas de cansativos quilômetros e quase perder as esperanças de saber qualquer coisa sobre seus pais, ele um dia chegou a um país que parecia repleto de pedras e rochas e árvores, e lá viu um grande palácio com uma torre alta. Bem perto, havia a casinha de um malee.

Enquanto ele observava os arredores, a esposa do malee o viu, saiu correndo de casa e disse:

– Caro menino, quem é você que ousa arriscar-se neste lugar perigoso? Ele respondeu:

– Sou filho de um rajá e vim em busca de meu pai, meus tios e minha mãe, que foram enfeitiçados por um feiticeiro malvado.

A esposa do malee disse:

– Este país e este palácio pertencem a um grande feiticeiro; ele é muito poderoso, e se uma pessoa o desagrada, ele pode transformá-la em pedra ou em árvore. Todas as pedras e árvores que você vê aqui já foram pessoas, e o mago as transformou no que são agora. Um tempo atrás, o filho de um rajá veio até aqui, pouco depois vieram seus seis irmãos e todos foram transformados em pedras e árvores. E não foram os únicos desafortunados; no alto da torre vive uma linda princesa que o mago mantém como prisioneira há doze anos, porque ela o odeia e se recusa a se casar com ele.

O pequeno príncipe pensou: "Devem ser meus pais e meus tios. Finalmente encontrei o que procuro". Ele então contou sua história à esposa do malee e implorou que ela o ajudasse a permanecer naquele lugar por algum tempo e descobrir mais sobre aquelas pessoas desafortunadas. Ela prometeu ajudá-lo e aconselhou que ele se disfarçasse para que o mago não o visse e o transformasse em pedra. O príncipe concordou. Assim, a esposa do malee o vestiu com um sári para que pensassem que ele era sua filha.

Um dia, não muito depois, quando o mago estava caminhando por seu jardim, ele viu a garotinha (era o que pensava) brincando e perguntou quem era. Ela respondeu que era a filha do malee, e o mago disse:

– Você é uma linda garotinha. Amanhã levará um presente meu, um buquê de flores, para a bela moça que vive na torre.

O jovem príncipe ficou exultante ao ouvir aquilo e foi imediatamente informar à esposa do malee. Após conversarem, ele determinou que seria mais seguro manter o disfarce e esperar uma oportunidade favorável para estabelecer alguma comunicação com sua mãe, se de fato fosse ela a mulher na torre.

Acontece que no casamento de Balna, o marido lhe havia dado um pequeno anel de ouro com o nome dela gravado e ela o havia colocado no dedo de seu filhinho quando era bebê. Quando o menino cresceu, as tias aumentaram o anel para que ele pudesse continuar usando. A esposa do malee o aconselhou a prender o conhecido tesouro a um dos ramos que apresentaria à mãe e torcer para que ela o reconhecesse. Não foi uma tarefa fácil, pois a pobre princesa era mantida sob tão rígida vigilância (por medo que se comunicasse com seus amigos) que, embora a suposta filha do malee tivesse permissão para lhe entregar flores todos os dias, o mago ou um de seus escravos estavam sempre presentes no cômodo. Finalmente, um dia, a oportunidade se apresentou e, quando ninguém estava olhando, o garoto amarrou o anel a um ramalhete e o jogou aos pés de Balna. Ao cair, fez um barulho metálico e Balna, procurando o que havia feito aquele som estranho, encontrou o pequeno anel amarrado às flores. Ao reconhecê-lo, ela logo acreditou na história que o filho lhe havia contado sobre sua longa busca e suplicou que ele lhe dissesse o que fazer. Ao mesmo tempo, pediu que não arriscasse a vida tentando resgatá-la. Ela contou que o mago a mantinha encerrada na torre havia doze anos por ela se recusar a se casar com ele e que era tão bem vigiada que não tinha esperança de escapar.

Mas o filho de Balna era um rapaz esperto e disse:

– Não tema, querida mãe. A primeira coisa a fazer é descobrir o alcance do poder do mago para podermos libertar meu pai e meus tios, que ele aprisionou na forma de rocha e árvore. Durante doze longos anos, falou com ele em tom irritado; agora é melhor falar com gentileza. Diga que perdeu todas as esperanças de voltar a ver o marido por quem sofreu durante tanto tempo e que está disposta a se casar com ele. Então empenhe-se em descobrir em que consiste o poder dele e se ele é imortal ou pode ser morto.

Balna decidiu seguir o conselho do filho. No dia seguinte, mandou chamar Punchkin e falou com ele, conforme havia sido orientada.

O mago, extremamente satisfeito, suplicou que o casamento acontecesse o mais rápido possível.

Mas ela pediu que tivessem pouco mais de tempo para se conhecerem melhor, pois, após terem passado um período tão longo como inimigos, a amizade poderia ser fortalecida.

– E, diga-me – disse ela –, você é imortal? A morte jamais poderá tocá-lo? É um feiticeiro tão poderoso que jamais sentirá o sofrimento humano?

– Por que pergunta? – questionou ele.

– Porque – respondeu ela – serei sua esposa e devo saber tudo sobre você para que, caso alguma calamidade o ameace, eu possa superá-la ou até mesmo evitá-la.

– É verdade – acrescentou ele – que não sou como os outros. Longe, muito longe, centenas de milhares de quilômetros daqui, fica uma região inóspita coberta de selva densa. Bem no meio da selva, cresce um círculo de palmeiras e, no centro do círculo, ficam seis vasilhas cheias de água, empilhadas uma sobre a outra. Sob as seis vasilhas há uma pequena gaiola com um papagainho verde; da vida do papagaio, depende a minha. Se o papagaio for morto, eu morrerei. No entanto – acrescentou ele –, é impossível que o papagaio seja ferido, tanto por causa da inacessibilidade da região, quanto porque, por ordens minhas, milhares de gênios cercam as palmeiras e matam todos que se aproximam.

Balna contou ao filho o que Punchkin havia dito; mas, ao mesmo tempo, suplicou que ele desistisse da ideia de pegar o papagaio.

O príncipe, contudo, respondeu:

– Mãe, a menos que eu consiga colocar as mãos naquele papagaio, você e meu pai e meus tios não serão libertados. Não tema, voltarei em breve. Enquanto isso, mantenha o mago de bom humor e continue adiando o casamento sob vários pretextos. Antes que ele descubra o motivo do adiamento, estarei de volta.

E assim, ele partiu.

O rapaz viajou muitos e muitos cansativos quilômetros até chegar a uma densa selva. Esgotado, sentou-se sob uma árvore e pegou no sono. Foi acordado por um ruído fraco e, olhando ao redor, viu uma grande serpente se dirigindo a um ninho de águia que estava na árvore sob a qual ele descansava. No ninho, havia duas jovens águias. O príncipe, vendo o perigo que as aves corriam, pegou a espada e matou a serpente; no mesmo instante, ouviu-se um som intenso no ar, e as duas águias adultas, que estavam caçando alimentos para os filhotes, voltaram. Logo viram a serpente morta e o jovem príncipe diante dela. A mãe águia disse a ele:

– Caro rapaz, por muitos anos, todos os nossos filhotes foram devorados por aquela cruel serpente. Você salvou a vida de nossos filhos. Portanto, sempre que necessitar, mande nos chamar e o ajudaremos. Quanto a essas pequenas águias, leve-as e as torne suas criadas.

O príncipe ficou muito feliz. As duas pequenas águias entrelaçaram as asas, sobre as quais ele subiu, e o carregaram para longe, bem longe, sobre a densa selva até chegar ao lugar onde ficava o círculo de palmeiras, no meio do qual havia seis vasilhas cheias de água. Era meio-dia e fazia muito calor. Ao redor das árvores, os gênios dormiam profundamente; todavia, eram tantos milhares que seria praticamente impossível alguém passar caminhando por eles para chegar ao local. As pequenas águias de asas fortes pousaram e o príncipe desceu. Em um instante, ele já tinha derrubado as seis vasilhas repletas de água e agarrado o papagainho verde, que enrolou em seu manto; nesse meio-tempo, enquanto ele subia novamente para o céu, todos os gênios acordaram. Vendo que seu tesouro havia desaparecido, soltaram um lamento selvagem e melancólico.

As pequenas águias voaram muito, muito longe, até chegarem à casa na grande árvore. O príncipe disse às águias mais velhas:

– Peguem de volta suas pequenas. Elas me prestaram um bom serviço. Se mais uma vez eu necessitar de ajuda, não hesitarei em recorrer a vocês.

Ele então continuou a viagem a pé até chegar novamente ao palácio do mago, onde sentou-se na porta e começou a brincar com o papagaio.

Punchkin o viu e se aproximou dele rapidamente, perguntando:

– Meu garoto, onde arrumou esse papagaio? Suplico que o entregue a mim.

Mas o príncipe respondeu:

– Ah, não. Não posso dar meu papagaio. É meu mascote querido e está comigo há muitos anos.

Então o mago disse:

– Se tem carinho por ele, compreendo que não queira me dar. Mas por quanto o venderia?

– Senhor – respondeu o príncipe. – Não venderei meu papagaio.

Punchkin começou a ficar apavorado e disse:

– Qualquer coisa, qualquer coisa. Diga seu preço e eu pagarei.

O príncipe respondeu:

– Liberte agora mesmo os sete filhos do rajá que transformou em pedras e árvores.

– Farei o que deseja – afirmou o mago –, mas me entregue meu papagaio. – Com isso, com um movimento de varinha, o marido de Balna e seus irmãos retomaram à forma natural. – Agora, entregue-me meu papagaio – repetiu Punchkin.

– Não tão rápido, senhor – respondeu o príncipe. – Primeiro peço que restaure a vida de todos que aprisionou dessa forma.

O mago gritou, implorando:

– Entregue-me meu papagaio.

E logo agitou a varinha novamente e o jardim todo de repente ficou vivo. Onde antes havia rochas, pedras e árvores, surgiram rajás e punts e sirdars, e homens fortes montados em cavalos velozes, e pajens enfeitados com joias e soldados armados.

– Entregue-me meu papagaio! – gritou Punchkin. E o garoto segurou o papagaio e arrancou uma de suas asas. Com isso, o braço direito do mago caiu.

Punchkin esticou o braço esquerdo, gritando:

– Entregue-me meu papagaio!

O príncipe arrancou a segunda asa do papagaio, e o braço esquerdo do mago caiu.

– Entregue-me meu papagaio! – gritou ele e caiu de joelhos. O príncipe arrancou a perna direita do papagaio; a perna direita do mago caiu. O príncipe arrancou a perna esquerda do papagaio; o mago ficou sem a perna esquerda.

Nada restava dele além do corpo desmembrado e a cabeça; mas ele ainda revirava os olhos e gritava:

– Entregue-me meu papagaio!

– Pegue seu papagaio, então – berrou o garoto. Com isso, torceu o pescoço da ave e a jogou na direção do mago. O mesmo aconteceu com ele; a cabeça de Punchkin girou e, com um terrível gemido, ele morreu!

Então eles libertaram Balna da torre e ela, seu filho e os sete príncipes voltaram para seu país e viveram felizes para sempre. Quanto aos demais, cada um retornou para a própria casa.

O vaso quebrado

Em um certo lugar, vivia um brâmane chamado Svabhavakripana, que significa "nato avarento". Ele havia recolhido uma grande quantidade de arroz pedindo esmola e, após jantar um pouco, encheu um vaso com o que sobrou. Pendurou o vaso em um prego na parede, posicionou sua cama embaixo e, olhando atentamente para ele a noite toda, pensou: "Ah, aquele vaso está cheio de arroz até a boca. Se houvesse um período de escassez, eu certamente ganharia cem rupias com ele. Com isso, poderia comprar um bode e uma cabra. Eles procriariam a cada seis meses, e assim eu teria todo um rebanho. Então, com a venda eu poderia comprar vacas. Assim que nascessem bezerros, eu os venderia. Com a venda dos bezerros, compraria búfalos; com o dinheiro dos búfalos, éguas. Quando as éguas tivessem potros, eu ficaria com muitos cavalos. E quando os vendesse, teria muito ouro. Com esse ouro, eu compraria uma casa com quatro alas. E depois um brâmane iria à minha casa e me daria a mão de sua bela filha em casamento com um grande dote. Ela teria um filho, e eu lhe daria o nome de Somasarman.

"Quando crescesse o suficiente para brincar nos joelhos de seu pai, eu me sentaria com um livro nos fundos do estábulo e, enquanto estivesse lendo, o garoto me veria, pularia do colo da mãe e correria na minha direção para brincar sobre meus joelhos. Ele chegaria perto demais do casco do cavalo e, cheio de raiva, eu gritaria para minha esposa: 'Venha pegar o menino; leve-o daqui'! Mas ela, distraída com alguma tarefa doméstica, não me ouviria. Eu então me levantaria e lhe daria um belo chute."

Enquanto ele pensava naquilo tudo, deu um chute no ar e quebrou o vaso. Todo o arroz caiu sobre ele e o deixou todo branco. Então, eu digo: *Aquele que faz planos insensatos para o futuro acabará todo branco, como o pai de Somasarman.*

O violino mágico

Era uma vez sete irmãos e uma irmã. Os irmãos eram casados, mas suas esposas não cozinhavam para a família. Quem o fazia era a irmã dos maridos, que ficava em casa cozinhando. As esposas, por essa razão, guardavam muito ressentimento da cunhada e a certa altura uniram-se para tirá-la do papel de cozinheira e provedora geral, de modo que uma delas pudesse assumi-lo. Elas disseram:

– Ela não vai ao campo para trabalhar, apenas fica tranquila em casa, e ainda assim as refeições não estão prontas na hora certa.

Elas então chamaram seu bonga e, fazendo-lhe promessas, garantiram sua benevolência e auxílio. Então disseram a ele:

– Ao meio-dia, quando nossa cunhada for pegar água, faça com que, ao ver o cântaro, a água desapareça, e depois reapareça lentamente. Assim, ela se atrasará. Faça com que a água não entre no cântaro e poderá ficar com a donzela.

Ao meio-dia, quando ela foi buscar água, a fonte se secou diante dela, que começou a chorar. Um pouco depois, a água começou lentamente a surgir. Quando bateu em seus tornozelos, ela tentou encher o cântaro, mas ele não afundava na água. Assustada, começou a chorar e chamar seu irmão:

– Ah! Meu irmão, a água bate em meus tornozelos. Ainda assim, irmão, o cântaro não afunda.

A água continuou a subir até bater em seus joelhos, quando ela começou a chorar de novo:

– Ah! Meu irmão, a água bate em meus joelhos. Ainda assim, irmão, o cântaro não afunda.

A água continuou a subir e quando bateu em sua cintura, ela gritou novamente:

– Ah! Meu irmão, a água bate em minha cintura. Ainda assim, irmão, o cântaro não afunda.

A água ainda subia, e quando chegou a seu pescoço, ela continuou chorando:

– Ah! Meu irmão, a água bate em meu pescoço. Ainda assim, irmão, o cântaro não afunda.

Depois de um tempo, a água tornou-se tão profunda que ela sentiu que estava se afogando, então gritou bem alto:

– Ah! Meu irmão, a água subiu à altura de um homem. Ah! Meu irmão, o cântaro começa a se encher.

O cântaro se encheu de água e, junto com ele, ela afundou e se afogou. O bonga então a transformou em uma bonga como ele e a levou embora.

Passado um tempo, ela reapareceu como um bambu crescendo na borda da fonte em que havia se afogado. Quando o bambu ficou imenso, um iogue que tinha o costume de passar por ali, disse a si mesmo ao vê-lo:

– Isso daria um excelente violino.

Assim, um dia ele levou um machado para cortá-lo; mas, quando estava prestes a começar, o bambu disse:

– Não corte pela raiz, corte mais para cima.

Quando ele ergueu o machado para cortar mais para cima, o bambu gritou:

– Não corte perto do topo, corte na raiz.

Quando o iogue se preparou para cortar na raiz, como solicitado, o bambu disse:

– Não corte pela raiz, corte mais para cima.

E quando ele estava para cortar mais para cima, o bambu novamente gritou:

– Não corte em cima, corte na raiz.

O iogue, àquela altura, estava certo de que um bonga estava tentando assustá-lo. Zangado, ele cortou o bambu pela raiz, levou-o embora e fez um violino com ele. O instrumento tinha um tom superior e encantava todos que o ouviam. O iogue o tocava quando saía para pedir esmola e por meio da influência de sua doce música, voltava para casa todos os dias com a carteira cheia.

De vez em quando, ele visitava a casa dos irmãos da garota bonga, e as notas do violino os afetavam fortemente. Alguns até derramavam lágrimas, pois o violino parecia chorar com amarga angústia. O irmão mais velho quis comprá-lo e ofereceu-se para sustentar o iogue durante um ano se ele concordasse em abrir mão de seu maravilhoso instrumento. O iogue, no entanto, conhecia seu valor e se recusou a vendê-lo.

Acontece que o iogue, algum tempo depois, foi à casa do chefe de uma aldeia e, após tocar uma ou duas canções no violino, pediu algo para comer. Eles se ofereceram para comprar seu violino e prometeram pagar um alto preço, mas ele se recusou a vendê-lo, uma vez que do violino saía seu sustento. Quando viram que não conseguiriam convencê-lo, deram-lhe comida e uma grande quantidade de bebida alcoólica. Ele bebeu tanto que logo ficou embriagado. Enquanto estava nessa condição, tomaram-lhe o violino e o substituíram por um antigo. Quando o iogue se recuperou, deu por falta do instrumento e, suspeitando que havia sido roubado, pediu que o devolvessem. Eles negaram que o haviam tomado, e então ele teve que partir, deixando o violino para trás. O filho do chefe era músico e costumava tocar o violino do iogue. Em suas mãos, a música deleitava os ouvidos de quem a escutava.

Quando todos estavam ausentes, trabalhando no campo, a garota bonga saía do violino de bambu e preparava a comida. Depois de comer sua parte, colocava a do filho do chefe sob sua cama, cobrindo-a para evitar a poeira, e voltava a entrar no violino. Isso acontecia todos os dias, e os outros membros da família achavam que alguma amiga estava, daquela maneira, demonstrando interesse pelo jovem, portanto não se preocuparam em descobrir o que estava acontecendo. O rapaz, no entanto, estava determinado a observar e ver qual de suas amigas estava tão dedicada a agradá-lo. Pensou consigo mesmo: "Hoje eu a pegarei e lhe darei uma bela surra. Ela está me envergonhando diante dos demais". Assim, ele se escondeu em uma pilha de lenha no canto. Em pouco tempo, a garota saiu do violino de bambu e começou a pentear os cabelos. Ao terminar de se arrumar, cozinhou o arroz, como de costume e, depois de comer um pouco, colocou a porção do jovem sob a cama. Estava prestes a voltar para o violino quando ele saiu correndo de seu esconderijo e a pegou pelos braços. A garota bonga exclamou:

– Saia! Que vergonha! Você pode ser um dom, ou um hadi, ou membro de alguma outra casta com quem não posso me casar.

Ele respondeu:

– Não. Mas a partir de hoje, você e eu somos um só. – E começaram a conversar ternamente. À noite, quando os outros voltaram, viram que ela era tanto humana quanto bonga e ficaram muito contentes.

Nesse meio-tempo, a família da garota bonga ficou muito pobre. Seus irmãos, em certa ocasião, fizeram uma visita à casa do chefe.

A bonga os reconheceu de imediato, mas eles não sabiam quem era aquela menina. Ela lhes serviu água quando chegaram e em seguida ofereceu arroz. Sentando-se perto deles, começou, em tom lastimoso, a reclamar da forma como havia sido tratada por suas esposas. Relatou tudo o que lhe havia passado e terminou dizendo:

– Vocês certamente sabiam de tudo, mas mesmo assim não fizeram nada para me salvar.

E essa foi sua única vingança.

A garça perversa que foi enganada

Há muito tempo, o bodisatva nasceu para uma vida na floresta, como gênio de uma árvore que ficava perto de um certo lago de lótus.

Naquela época, a água era escassa na estação da seca, e em outro lago não havia muitos peixes. A garça pensou, ao vê-los:

– De uma forma ou de outra, preciso ser mais esperta que esses peixes e fazer deles minhas presas.

Ela se sentou à beira da água enquanto pensava no que faria.

Quando os peixes a viram, perguntaram:

– Por que está aí sentada, perdida em pensamentos?

– Estou pensando em vocês – respondeu.

– Ah! E por que está pensando em nós? – perguntaram eles.

– Ora! – respondeu ela. – Há pouquíssima água neste lago e pouco alimento. E faz tanto calor! Então fiquei pensando: "O que esses peixes vão fazer agora?"

– É verdade! O que vamos fazer? – disseram.

– Se estiverem dispostos, posso levá-los no meu bico a um belo e grande lago, coberto com todos os tipos de lótus, e colocá-los dentro dele – respondeu a garça.

– Nunca ouvimos falar de uma garça preocupada com peixes. O que pretende é comer todos nós, um após o outro.

– De jeito nenhum! Confiem em mim, eu não os comerei. Mas se não acreditam que tal lago realmente exista, mandem um de vocês comigo para comprovar.

Eles resolveram confiar nela e entregaram um dos seus: um peixe grande, cego de um olho, que consideravam esperto o suficiente em casos de emergência, dentro ou fora da água.

A garça o levou consigo, mostrou-lhe o lago todo, levou-o de volta e o devolveu a seus amigos. Ele contou a todos todas as maravilhas sobre o lago.

Ao ouvirem o que ele disse, os peixes exclamaram:

– Muito bem! Pode nos levar também.

Então a garça levou o velho peixe peticego à margem do outro lago e pousou em um tapiá que crescia ali. Mas em vez de jogá-lo na água, lançou-o contra um ramo da árvore, acertou-o com o bico e o matou. Depois, devorou sua carne e jogou as espinhas ao pé da árvore. Então voltou e disse:

– Já levei aquele peixe, que venha o próximo.

Daquela maneira, ela levou todos os peixes, um por um, e os devorou, até voltar e não encontrar mais nada!

Mas ainda havia um caranguejo ali, e a garça pensou em devorá-lo também. Ela disse:

– Olá, meu bom caranguejo! Levei todos os peixes embora e os deixei em um belo e grande lago. Venha. Eu o levarei também!

– Mas como vai me carregar?

– Eu o levarei em meu bico.

– Vai me derrubar se me carregar assim. Não irei com você!

– Não tema! Eu o segurarei com força o caminho todo.

Então o caranguejo pensou: "Se ela pegou os peixes, é impossível que os tenha deixado em um lago! Se realmente me deixar no lago, seria ótimo. Mas se não deixar, cortarei sua garganta e a matarei"! Ele disse a ela:

– Veja, amiga, você não terá força suficiente para me segurar com o bico. Mas nós, caranguejos, somos famosos por nossas pinças. Se me deixar segurar em volta de seu pescoço, ficarei feliz em ir.

E a garça não percebeu que ele estava tentando enganá-la e concordou. O caranguejo agarrou em seu pescoço como se usasse tenazes de ferreiro e exclamou:

– Vamos!

A garça o levou e lhe mostrou o lago, depois se virou na direção do tapiá.

– Ei! – gritou o caranguejo. – O lago é para aquele lado, mas você está me levando para este lado!

– Ah, é mesmo? Então vou explicar – respondeu a garça. –Acha que sou sua escrava, que tenho que carregá-lo para onde queira? Veja só a pilha de espinhas de peixe perto da raiz daquele tapiá. Eu devorei todos aqueles peixes e farei o mesmo com você!

– Ah! Aqueles peixes morreram em decorrência da própria estupidez – respondeu o caranguejo. – Mas não deixarei que me devore. Pelo contrário, é *você* que será destruída. É tão tola que não notou que está sendo enganada. Se morrermos, morreremos os dois juntos, pois cortarei fora sua cabeça e a arremessarei no chão! – Ao dizer aquilo, ele apertou o pescoço da garça com suas pinças, como se fosse um tornilho.

Ofegante, com lágrimas nos olhos e tremendo de medo da morte, a garça lhe suplicou:

– Oh, meu senhor! Eu não pretendia devorá-lo de verdade. Poupe minha vida!

– Ora, ora! Pouse no lago e me deixe lá.

E ela deu meia-volta e pousou no lago, colocando o caranguejo na margem. Mas o caranguejo cortou seu pescoço com a destreza que alguém cortaria um caule de lótus com uma faca de caça e depois simplesmente entrou na água!

Quando o gênio que vivia no tapiá presenciou aquele estranho acontecimento, fez a madeira ressoar com seus aplausos, proferindo em tom agradável a seguinte estrofe:

O vilão, embora seja muito esperto,
Não prospera por meio da maldade.
Poderia vencer pela astúcia, decerto,
Mas apenas se lhe dessem oportunidade!

Laili apaixonada

Era uma vez um rei chamado Dantal, que tinha muitas rupias, soldados e cavalos. Também tinha um único filho, chamado príncipe Majnun, um garoto muito bonito, com dentes brancos, lábios vermelhos, olhos azuis, bochechas rosadas, cabelos avermelhados e pele branca. O garoto gostava muito de brincar com o filho do vizir, Husain Mahamat, no jardim do rei Dantal, que era muito grande e repleto de frutas deliciosas, flores e árvores. Costumavam sair com suas pequenas facas para cortar as frutas e comê-las. O rei Dantal tinha um professor que os ensinava a ler e escrever.

Um dia, quando cresceram e se tornaram dois belos jovens, o príncipe Majnun disse ao pai:

– Husain Mahamat e eu gostaríamos de sair para caçar.

O pai disse que eles podiam ir, então prepararam os cavalos e tudo o que queriam levar para a caçada e foram para Phalana, caçando pelo caminho, mas encontraram apenas chacais e aves.

O rajá de Phalana chamava-se Munsuk e tinha uma filha chamada Laili, que era muito bela. Ela tinha olhos castanhos e cabelos pretos.

Uma noite, pouco antes de o príncipe Majnun chegar ao reino de seu pai, enquanto ela dormia, khuda enviou um anjo em forma de homem que lhe disse que ela deveria se casar com o príncipe Majnun e mais ninguém, e que aquela era uma ordem de khuda. Quando Laili acordou, contou ao pai sobre a visita do anjo em seus sonhos, mas ele não deu atenção à história. A partir de então, ela começou a repetir:

– Majnun, Majnun. Quero Majnun. – E não dizia mais nada. Até mesmo quando estava comendo, continuava dizendo: – Majnun, Majnun. Quero Majnun.

O pai ficava muito irritado com ela.

– Quem é esse Majnun? Quem já ouviu falar desse Majnun? – perguntava ele.

– É o homem com quem me casarei – respondia Laili. – Khuda ordenou que eu não me casasse com ninguém além de Majnun.

Ela estava meio louca.

Nesse ínterim, Majnun e Husain Mahamat estavam caçando em Phalana. Enquanto cavalgavam, cruzaram com Laili em seu cavalo. O tempo todo, ela ficava dizendo:

– Majnun, Majnun. Quero Majnun.

O príncipe a ouviu e deu meia-volta.

– Quem me chama? – perguntou.

Com isso, Laili olhou para ele e, no instante em que o viu, ficou perdidamente apaixonada e pensou: "Tenho certeza de que é o príncipe Majnun com quem khuda ordenou que eu me casasse". Ela voltou para a casa e disse:

– Pai, desejo me casar com o príncipe que chegou a seu reino. Sei que ele é o príncipe Majnun, aquele com quem tenho que me casar.

– Muito bem, pode se casar com ele – disse o rajá Munsuk. – Falaremos com ele amanhã.

Laili concordou em esperar, embora estivesse muito impaciente. Porém, o príncipe deixou o reino de Phalana naquela mesma noite, e quando Laili soube que ele havia partido, ficou furiosa. Não quis ouvir uma palavra do que dizia o pai, a mãe ou os criados e se embrenhou na mata, vagando de uma selva à outra, até se afastar cada vez mais de seu país. O tempo todo, ficava dizendo:

– Majnun, Majnun. Quero Majnun.

E assim vagou durante doze anos.

Ao final dos doze anos, conheceu um faquir, ele na verdade era um anjo, mas isso ela não sabia, que lhe perguntou:

– Por que está sempre dizendo "Majnun, Majnun. Quero Majnun"?

Ela respondeu:

– Sou filha do rei de Phalana e quero encontrar o príncipe Majnun. Diga-me onde fica seu reino.

– Acho que nunca chegará lá – disse o faquir –, pois fica muito distante daqui e é preciso atravessar muitos rios.

Mas Laili disse que não se importava; precisava ver o príncipe Majnun.

– Bem – disse o faquir –, quando chegar ao rio Bhagirathi, verá um peixe grande, um rohu, e deve pedir que ele a transporte até o país do príncipe Majnun, ou nunca conseguirá chegar.

Ela seguiu viajando e, por fim, chegou ao rio Bhagirathi. Ali encontrou o grande peixe chamado rohu. Estava bocejando justo quando ela chegou, de modo que Laili saltou instantaneamente dentro de sua garganta e foi parar em seu estômago. O tempo todo, não parou de repetir "Majnun, Majnun". Com isso, o peixe ficou muito alarmado e nadou rio abaixo o mais rápido que podia. Depois de um tempo, ficou cansado e diminuiu a velocidade, e um corvo pousou em suas costas e disse:

– Crá, crá.

– Ah, senhor Corvo – disse o pobre peixe. – Pode ver o que faz tanto barulho em meu estômago?

– Muito bem – disse o corvo. – Abra bem a boca e eu voarei até lá embaixo para ver. – O rohu abriu a boca, e o corvo desceu, mas rapidamente voltou. – Você tem um raxasa no estômago – afirmou o corvo, voando para longe.

A notícia não consolou o pobre rohu, e ele continuou nadando até chegar ao país do príncipe Majnun. Lá, ele parou. Um chacal se aproximou do rio para beber água.

– Ah, chacal – disse o rohu. – Diga-me o que há dentro de mim.

– Como posso saber? – perguntou o chacal. – Não consigo ver, a menos que entre em seu corpo. – Então o rohu abriu bem a boca, e o chacal pulou em sua garganta, mas voltou rapidamente, parecendo muito assustado e dizendo: – Você tem um raxasa no estômago, e se eu não fugir logo, temo que ele me devore. – Ele saiu correndo.

Depois do chacal, apareceu uma enorme cobra.

– Ah – disse o peixe. – Diga-me o que tenho em meu estômago, pois não para de se mexer e fica repetindo: "Majnun, Majnun. Quero Majnun".

A cobra falou:

– Abra bem a boca e eu descerei para ver o que é. – A cobra desceu. Quando voltou, disse: – Você tem um raxasa no estômago, mas posso abrir um corte em sua barriga para ele sair.

– Se fizer isso, eu morrerei – respondeu o rohu.

– Ah, não – disse a cobra. – Isso não acontecerá, pois lhe darei um remédio que o deixará bem novamente.

O peixe concordou e a cobra pegou uma faca e o abriu. De dentro dele, saiu Laili.

Ela já estava bem velha. Havia vagado pela selva durante doze anos e vivido dentro do rohu por mais doze. Não era mais bela e havia perdido os dentes. A cobra a colocou nas costas e a levou para a cidade. Lá saiu caminhando até chegar ao palácio, onde morava o príncipe Majnun. Alguns homens a ouviram gemendo:

– Majnun, Majnun. Quero Majnun.

E lhe perguntaram o que queria.

– Quero o príncipe Majnun – respondeu ela.

Eles entraram e avisaram ao príncipe Majnun.

– Lá fora há uma velha dizendo que o quer.

– Não posso sair daqui – disse ele. – Mandem-na entrar.

Eles a levaram para dentro, e o príncipe lhe perguntou o que queria.

– Quero me casar com você – respondeu ela. – Há vinte e quatro anos, você foi ao país do meu pai, o rei de Phalana, e eu queria me casar com você naquela época. Mas foi embora sem se casar comigo. Eu enlouqueci e fiquei vagando todos esses anos à sua procura.

O príncipe Majnun disse:

– Muito bem.

– Reze a khuda para que nos torne jovens novamente – disse Laili. – E então nos casaremos.

O príncipe rezou para khuda, que lhe disse:

– Toque nas roupas de Laili que elas pegarão fogo e, quando estiverem em chamas, ela e você voltarão a ser jovens.

Quando ele tocou nas roupas de Laili, elas pegaram fogo e os dois voltaram a ser jovens. Houve um grande banquete, então eles se casaram e viajaram a Phalana para visitar os pais dela.

O pai e a mãe de Laili haviam chorado tanto pela filha que tinham ficado quase cegos, e o pai não parava de repetir:

– Laili, Laili, Laili.

Quando Laili viu a cegueira dos pais, rezou para khuda restaurar sua visão, e ele o fez. Tão logo o pai e a mãe viram Laili, eles a abraçaram e beijaram e celebraram o casamento novamente com muita alegria. O príncipe Majnun e Laili ficaram com o rajá Munsuk e sua esposa por três anos, depois voltaram ao rei Dantal e viveram felizes por um tempo com ele.

Costumavam sair para caçar e com frequência visitavam outros países para passear e se divertir.

Um dia, o príncipe Majnun disse a Laili:

– Vamos atravessar essa selva.

– Não, não – respondeu Laili. – Se atravessarmos essa selva, algo de ruim acontecerá comigo.

Mas o príncipe Majnun riu e entrou na selva. E enquanto a atravessavam, khuda pensou: "Gostaria de saber o quanto o príncipe Majnun ama sua esposa. Será que ficaria muito triste se ela morresse? Procuraria outra esposa? Deixe-me ver". Então ele mandou um de seus anjos em forma de um faquir para a selva, e o anjo se aproximou de Laili e jogou um pó em seu rosto. Ela instantaneamente se transformou em um monte de cinzas.

O príncipe Majnun sentiu grande tristeza e dor ao ver sua querida Laili transformada em um pequeno monte de cinzas. Foi direto para a casa de seu pai e, por um longo tempo, nada o confortava. Depois de muitos e muitos anos, ele ficou mais alegre e feliz, e começou a sair novamente no belo jardim de seu pai com Husain Mahamat. O rei Dantal queria que o filho se casasse de novo.

– Só terei Laili como esposa. Não me casarei com nenhuma outra mulher – disse o príncipe Majnun.

– Como poderia se casar com Laili? Laili está morta. Ela nunca voltará para você – afirmou o pai.

– Então não terei nenhuma esposa – disse o príncipe Majnun.

Enquanto isso, Laili vivia na selva em que seu marido a havia deixado na forma de um pequeno monte de cinzas. Assim que Majnun partira, o faquir havia recolhido suas cinzas, limpado e misturado argila e água, moldando uma forma de mulher. Assim, Laili reconquistou sua forma humana, e khuda deu vida a ela. Mas Laili mais uma vez havia se tornado uma velha horrenda, de nariz muito, muito grande e dentes que pareciam presas salientes. Uma mulher tão velha, ela estava como quando saiu do peixe rohu. Vivia na selva, não comia nem bebia nada e ficava repetindo:

– Majnun, Majnun. Quero Majnun.

Por fim, o anjo que havia se disfarçado de faquir e jogado o pó sobre ela, disse a khuda:

– De que adianta esta mulher ficar sentada no meio da selva, gritando para sempre: "Majnun, Majnun. Quero Majnun", sem comer nem beber nada? Deixe-me levá-la até o príncipe Majnun.

– Bem – disse Khuda. – Você pode fazer isso, mas diga a ela que não deve falar com Majnun, porque se ele ficar assustado ao vê-la, ela se tornará uma cachorrinha branca no dia seguinte. Então deverá entrar no palácio e só voltará a ganhar sua forma humana quando o príncipe Majnun a amar, quando alimentá-la com sua própria comida e deixá-la dormir em sua cama.

Assim, o anjo apareceu para Laili novamente como faquir e a levou ao jardim do rei Dantal.

– Agora – disse ele –, khuda ordenou que fique aqui até o príncipe Majnun vir caminhar no jardim, então poderá se revelar a ele. Mas, se ele ficar assustado, não deve falar com ele. Nesse caso, no dia seguinte será transformada em uma cachorrinha branca. – Ele contou o que ela deveria fazer como cachorrinha para reconquistar sua forma humana.

Laili ficou no jardim, escondida na grama alta, até o príncipe Majnun e Husain Mahamat aparecerem para sua caminhada. O rei Dantal já era um homem muito velho, e Husain Mahamat, que na realidade tinha a mesma idade do príncipe Majnun, parecia muito mais velho, uma vez que o príncipe havia voltado a ser jovem quando se casou com Laili.

Enquanto o príncipe Majnun e o filho do vizir caminhavam pelo jardim, colhiam frutas como faziam quando crianças, só que agora as mordiam em vez de cortá-las. Majnun ocupava-se de comer uma fruta e conversava com Husain Mahamat quando se virou e viu Laili passando atrás do filho do vizir.

– Ah, veja, veja! – gritou ele. – Veja o que o segue; é um raxasa, um demônio, que certamente vai nos devorar. – Laili olhou para ele suplicando com os olhos, tremendo por causa da idade e pelo entusiasmo. Aquilo apenas assustou Majnun ainda mais. – É um raxasa, um raxasa! – disse ele e correu rapidamente para o palácio com o filho do vizir. Enquanto eles fugiam, Laili desapareceu na selva. Eles correram para o rei Dantal, e Majnun lhe contou que havia um raxasa, um demônio, no jardim querendo devorá-los.

– Quanta tolice! – exclamou o pai. – Imagine só, dois homens adultos com tanto medo de uma aia ou um faquir! E mesmo que fosse um raxasa, ele não teria devorado vocês. – De fato, o rei Dantal não acreditou que Majnun tivesse visto alguma coisa até Husain Mahamat dizer que o príncipe estava falando a mais pura verdade. Foi feita uma busca no jardim pela terrível anciã, mas nada foi encontrado, e o rei Dantal disse ao filho que ele era muito tolo por estar tão assustado. No entanto, o príncipe Majnun não quis mais caminhar no jardim.

No dia seguinte, Laili se transformou em uma linda cachorrinha e entrou no palácio; assim que o príncipe Majnun a viu, rapidamente passou a gostar dela. Ela o seguia a todos os lugares, saía para caçar com ele e o ajudava a pegar a caça. O príncipe Majnun a alimentava com leite, pão ou qualquer coisa que estivesse comendo. À noite, a cachorrinha dormia em sua cama.

Mas, uma noite, a cachorrinha desapareceu e, em seu lugar, apareceu a pequena anciã que o assustara tanto no jardim. Dessa vez, o príncipe Majnun teve quase certeza de que se tratava de um raxasa, um demônio ou alguma coisa terrível que pretendia devorá-lo. Apavorado, gritou:

– O que quer? Ah, não me devore, não me devore!

A pobre Laili respondeu:

– Não me reconhece? Sou sua esposa, Laili, e quero me casar com você. Não se lembra que quis entrar naquela selva, mesmo quando implorei que não entrasse, quando disse que algo de ruim me aconteceria? E então um faquir jogou um pó em meu rosto e eu virei um monte de cinzas. Mas khuda me devolveu a vida e me trouxe até aqui, depois de eu ter ficado muito tempo na selva, gritando seu nome e agora fui obrigada a ser uma cachorrinha. Mas, se você se casar comigo, não serei mais uma cachorrinha.

Majnun, no entanto, disse:

– Como posso me casar com uma velha com você? Como pode ser Laili? Tenho certeza de que é um raxasa, ou um demônio que veio me devorar.

Ele estava em pânico.

Pela manhã, a anciã havia se transformada em cachorrinha, e o príncipe procurou o pai e lhe contou o ocorrido.

– Uma velha! Uma velha! Sempre uma velha! – exclamou o pai. – Você só pensa em velhas. Como um homem forte com você pode ser assustar com tanta facilidade? – No entanto, quando viu que o filho estava realmente apavorado e que acreditava de verdade que a anciã voltaria à noite, aconselhou-o a dizer a ela: – Eu me caso com você se puder voltar a ser jovem. Como poderia me casar com uma velha como você?

Aquela noite, enquanto ele tremia na cama, a pequena anciã apareceu no lugar da cachorra, gritando:

– Majnun, Majnun, quero me casar com você. Eu o amei durante todos esses longos, longos anos. Quando menina, no reino de meu pai, sabia sobre você, mas você não sabia sobre mim. E devíamos ter nos casado naquela época, se não tivesse partido tão repentinamente. E durante longos, longos anos eu o procurei.

– Bem – disse Majnun –, se puder voltar a ser jovem, eu me caso com você.

Laili disse:

– Ah, isso é fácil. Khuda me transformará em uma moça jovem novamente. Em dois dias, você deve ir ao jardim e lá encontrará uma bela fruta. Deve colhê-la, levá-la ao seu quarto e cortá-la você mesmo, com muito cuidado. E não deverá abri-la quando seu pai ou qualquer outra pessoa estiver com você, apenas quando estiver sozinho, pois eu estarei dentro da fruta, nua, sem roupa nenhuma.

Pela manhã, Laili assumiu a forma da cachorrinha e desapareceu no jardim.

O príncipe Majnun contou tudo ao pai, que lhe disse para fazer tudo o que a anciã havia pedido. Dois dias depois, ele e o filho do vizir caminhavam pelo jardim, e lá viram uma grande e bela fruta vermelha. Husain Mahamat queria que ele a colhesse, mas ele não quis pegá-la antes de contar ao pai, que lhe disse:

– Deve ser esta a fruta. Vá colhê-la.

Então Majnun voltou, tirou a fruta do pé e disse ao pai:

– Fique comigo em meu quarto enquanto abro a fruta. Tenho medo de abri-la sozinho, pois talvez encontre um raxasa que queira me devorar.

– Não – disse o rei Dantal. – Lembre-se, Laili estará nua. Você deve ir sozinho e não ter medo se, afinal, houver um raxasa dentro da fruta. Eu ficarei do lado de fora, então basta me chamar em voz alta que entrarei, assim o raxasa não poderá devorá-lo.

Assim, Majnun pegou a fruta e começou a cortá-la com a mão trêmula de tanto medo. Quando ele a cortou, saiu Laili, jovem e ainda mais bela do que jamais havia sido. Ao ver extrema beleza, Majnun caiu para trás e desmaiou no chão.

Laili tirou seu turbante e enrolou no corpo, como um sári (pois estava completamente desnuda) e depois chamou o rei Dantal. Ela perguntou a ele com tristeza:

– Por que Majnun desmaiou desse jeito? Por que ele não fala comigo? Ele nunca teve medo de mim e já me viu tantas, tantas vezes.

O rei Dantal respondeu:

– É porque está muito bela. Está muito, muito mais bonita do que era. Mas ele logo ficará muito feliz.

O rei jogou um pouco de água no rosto de Majnun e lhe deu de beber. Ele então levantou.

Laili disse:

– Por que desmaiou? Não vê que sou eu, Laili?

– Ah! – exclamou o príncipe. – Estou vendo que é Laili que voltou para mim. Mas seus olhos ficaram tão maravilhosamente belos que desmaiei quando os vi.

Todos ficaram muito felizes, o rei Dantal ordenou que todos os tambores e instrumentos musicais fossem tocados, fizeram um grande banquete de casamento, os criados receberam presentes e arroz e rupias foram distribuídos aos faquires.

Depois de um tempo em que viveram muitos felizes, o príncipe Majnun e sua esposa saíram em viagem. Cavalgavam no mesmo cavalo e levavam apenas um cavalariço. Chegaram a um outro reino onde havia um belo jardim.

– Temos que entrar neste jardim – disse Majnun.

– Não, não – disse Laili. – Ele pertence a um rajá malvado, Chumman Basa, um homem muito perverso.

Mas Majnun insistiu em entrar. Apesar de tudo o que Laili disse, ele desceu do cavalo para ver as flores. Enquanto ele olhava para elas, Laili avistou Chumman Basa indo na direção deles e viu em seus olhos que ele pretendia matar seu marido e capturá-la. Então, ela disse a Majnun:

– Venha, venha, vamos. Não chegue perto daquele homem malvado. Vejo em seus olhos e sinto em meu coração que ele o matará e me levará.

– Que tolice – disse Majnun. – Ele me parece um rajá muito bondoso. De qualquer modo, estou tão perto dele que não poderia fugir.

– Bem – disse Laili –, é melhor que você seja morto do que eu, pois se eu for morta uma segunda vez, khuda não me devolverá a vida. Mas posso trazê-lo de volta à vida, se você for morto.

Àquela altura, Chumman Basa já havia chegado bem perto e parecia muito agradável aos olhos de Majnun. Mas, enquanto falava com o príncipe, puxou sua cimitarra e cortou-lhe a cabeça de um só golpe.

Laili permaneceu imóvel sobre o cavalo e quando o rajá se aproximou dela, perguntou:

– Por que matou meu marido?

– Porque quero levá-la comigo – respondeu ele.

– Isso não será possível – afirmou Laili.

– Sim, será – disse o rajá.

– Leve-me, então – disse Laili a Chumman Basa. Ele chegou bem perto dela e estendeu o braço para ajudá-la a descer do cavalo. Mas ela colocou a mão no bolso e tirou uma pequena navalha, do tamanho da palma, que se desdobrou em um instante. Laili, em um único movimento amplo, decapitou Chumman Basa com sua longa lâmina.

Ela desceu do cavalo rapidamente e se aproximou do corpo morto de Majnun. Cortou o próprio dedo mindinho, da base da unha até a palma da mão, e seu sangue jorrou como um líquido de cura. Em seguida, ajeitou a cabeça de Majnun sobre os ombros e espalhou o sangue sobre todo o ferimento. Majnun acordou e disse:

– Que sono revigorante! Ora, sinto que dormi por anos! – Em seguida, ele se levantou e viu o corpo do rajá caído perto do cavalo de Laili. – O que é isso? – perguntou.

– É o rajá malvado que o matou para ficar comigo, como eu disse que aconteceria.

– Quem o matou? – perguntou Majnun.

– Fui eu – respondeu Laili. – E fui eu quem o trouxe de volta à vida.

– Devolva a vida ao pobre homem, se sabe como fazê-lo – disse Majnun.

– Não – respondeu Laili. – Pois ele é um homem cruel e tentará fazer mal a você.

Mas Majnun insistiu tanto e de maneira tão fervorosa para que ela devolvesse a vida ao rajá malvado que, por fim, ela disse:

– Então suba no cavalo e vá para longe com o cavalariço.

– O que fará se eu a deixar aqui? – perguntou Majnun. – Não posso deixá-la.

– Saberei me cuidar – disse Laili. – Mas esse homem é tão malvado que o matará novamente se estiver perto dele.

Assim, Majnun subiu no cavalo e foi para bem longe com o cavalariço, onde ficaram esperando por Laili. Ela colocou a cabeça do rajá malvado sobre os ombros e espremeu o corte de seu dedo até sair um pouco de sangue. Espalhou-o sobre o local onde sua faca o havia cortado e, assim que viu o rajá abrindo os olhos, saiu correndo. E correu, e correu, e correu tão rápido que conseguiu escapar do rajá que tentava pegá-la. Pulou no cavalo atrás de seu marido e eles cavalgaram em alta velocidade até chegarem ao palácio do rei Dantal.

Lá, o príncipe Majnun contou tudo ao pai, que ficou horrorizado e zangado.

– Tem sorte de ter uma esposa como esta – disse ele. – Por que não fez o que ela pediu? Se não fosse por ela, estaria morto.

Ele fez um grande banquete para demonstrar gratidão pela segurança de seu filho e distribuiu muitas, muitas rupias aos faquires. E fez muitos agrados a Laili. Ele a amava tanto que nada que pudesse fazer por ela seria o bastante. Ele construiu um palácio esplêndido para ela e seu filho, cercado por muitas terras e adoráveis jardins, e lhes deu muita riqueza e numerosos criados para servi-los. Mas não permitiu que ninguém, além dos criados, entrasse em seus jardins ou no palácio, e também proibiu que Majnun e Laili saíssem, pois, disse o rei Dantal:

– Laili é tão bela que talvez alguém possa tentar matar meu filho para ficar com ela.

O tigre, o brâmane e o chacal

Era uma vez um tigre que ficou preso em uma armadilha. Tentou, em vão, atravessar as grades, girou e as mordeu com fúria e tristeza quando não conseguiu.

Por acaso, estava passando por ali um pobre brâmane.

– Tire-me dessa jaula, por piedade! – suplicou o tigre.

– Não, amigo – respondeu o brâmane de maneira amável. – É provável que me devore se eu o fizer.

– De jeito nenhum! – prometeu o tigre. – Pelo contrário, serei eternamente grato e o servirei como um escravo!

O tigre soluçava, suspirava, chorava e suplicava, e o coração do piedoso brâmane amoleceu. Por fim, concordou em abrir a porta da jaula. Dela saiu o tigre que, capturando o pobre homem, gritou:

– Como é tolo! Como evitará que o devore agora, já que estou faminto depois de ficar tanto tempo preso?!

Em vão, o brâmane implorou que o tigre lhe poupasse a vida. O máximo que conseguiu foi a promessa de que o tigre obedeceria a decisão das primeiras três coisas que ele escolhesse para questionar se era ou não justa aquela ação.

O brâmane primeiro perguntou a uma figueira o que ela achava da questão, mas a figueira respondeu com frieza:

– Do que está reclamando? Eu não forneço sombra e abrigo a todos que passam por aqui, e eles, em troca, não cortam meus galhos para alimentar o gado? Não choramingue. Seja homem!

O brâmane, abatido, caminhou mais um pouco até encontrar uma búfala girando uma roda d'água. Mas não foi muito melhor, pois ela respondeu:

– Se espera gratidão, é um tolo! Olhe para mim! Enquanto eu lhes dava leite, eles me alimentavam com sementes de algodão e bolo prensado, mas agora que estou seca, me deixam presa aqui e me alimentam com lavagem!

O brâmane, ainda mais triste, pediu à estrada que desse sua opinião.

– Meu caro, senhor – disse a estrada –, que tolo é por esperar algo mais! Cá estou, útil a todos, e ainda assim ricos e pobres, grandes e pequenos, pisam em mim ao passar, sem me dar nada além das cinzas de seus cachimbos e cascas de suas sementes!

Com isso, o brâmane retornou com pesar e no caminho encontrou um chacal que lhe perguntou:

– Ei, qual é o problema, senhor brâmane? Parece deprimido como um peixe fora d'água!

O brâmane contou todo o ocorrido.

– Que confuso! – exclamou o chacal, quando ele terminou a história. – Poderia contar tudo de novo, pois não entendi nada?

O brâmane repetiu tudo, mas o chacal balançou a cabeça de maneira distraída e ainda assim não compreendeu.

– É muito estranho – disse ele com tristeza. – Mas parece que entra tudo por um ouvido e sai pelo outro! Vou ao local onde tudo aconteceu, talvez assim consiga dar minha opinião.

Eles então voltaram à jaula, perto da qual o tigre esperava o brâmane afiando os dentes e as garras.

– Você demorou muito! – rugiu a fera selvagem. – Mas agora podemos iniciar nosso jantar.

"*Nosso* jantar?", pensou o pobre brâmane, enquanto seus joelhos batiam um contra o outro de medo. "Que maneira delicada de se expressar!"

– Peço-lhe cinco minutos, meu senhor! – suplicou. – Para explicar a questão ao chacal, que tem o raciocínio um pouco lento.

O tigre concordou, e o brâmane contou toda a história novamente, sem deixar nenhum detalhe de fora, demorando-se o máximo possível.

– Ah, meu pobre cérebro! Ah, meu pobre cérebro! – gritou o chacal, retorcendo as patas. – Deixe-me ver! Como tudo começou? Você estava na jaula e o tigre veio passando...

– Aaaah! – interrompeu o tigre. – Como é idiota! *Eu* estava na jaula.

– É claro! – exclamou o chacal, fingindo tremer de medo. – Sim! Eu estava na jaula. Não, eu não estava. Minha nossa! Minha nossa! Onde estou com a cabeça? Deixe-me ver. O tigre estava no brâmane, e a jaula veio passando. Não, também não é isso! Bem, não se importem comigo. Iniciem seu jantar, pois nunca entenderei!

– Sim, entenderá! – retrucou o tigre, com raiva da estupidez do chacal. – Eu *farei* você entender! Veja só. Eu sou o tigre...

– Sim, senhor!

– E aquele é o brâmane...

– Sim, senhor!

– E esta é a jaula...

– Sim, senhor!

– E eu estava na jaula. Entendeu?

– Sim... não... Por favor, senhor...

– O que foi? – gritou o tigre, impaciente.

– Por favor, senhor! Como entrou na jaula?

– Como? Do modo habitual, é claro!

– Ah, pobre de mim. Minha cabeça está começando a girar de novo! Por favor, não fique zangado, meu senhor. Mas qual é o modo habitual?

Com isso, o tigre perdeu a paciência e, pulando dentro da jaula, berrou:

– É assim! Agora entendeu como foi?

– Perfeitamente! – O chacal sorriu e, com destreza, fechou a porta. – E, se me permite dizer, acho que as coisas permanecerão como estavam!

O filho do adivinho

Em seu leito de morte, um adivinho escreveu o horóscopo de seu segundo filho, cujo nome era Gangazara, e lhe deixou como única herança, uma vez que todas as propriedades haviam sido deixadas ao filho mais velho. O segundo filho pensou sobre o horóscopo e disse a si mesmo:

– Ai de mim! Foi para isso que eu nasci? As previsões de meu pai nunca falharam. Vi provarem-se verdadeiras até a última palavra enquanto estava vivo. E agora escreveu meu horóscopo! "POBRE DESDE O NASCIMENTO"! E nem é esse meu único destino. "POR DEZ ANOS, ENCARCERADO". Um destino mais duro que a pobreza. E o que vem depois? "MORTE NA PRAIA". O que significa que devo morrer longe de casa, longe de amigos e parentes, perto do mar. Agora vem a parte mais curiosa do horóscopo, que terei "ALGUMA FELICIDADE DEPOIS"! O que seria essa felicidade é um mistério para mim.

Assim pensou ele e, após terminarem todas cerimônias fúnebres de seu pai, despediu-se do irmão mais velho e partiu para Benares. Foi pelo planalto de Decã, evitando ambas as costas, e viajou durante semanas, meses, até finalmente chegar aos Montes Víndias. Enquanto atravessava aquele deserto, teve que viajar alguns dias por uma planície arenosa, sem sinais de vida ou vegetação. A pequena reserva de provisões que levava, por fim, se esgotou. O chombu que levava sempre cheio com a mais pura água do riacho ou de abundantes cisternas, ele havia exaurido no calor do deserto. Ele não tinha bocado algum para comer nas mãos, nem uma gota de água para beber. Para onde quer que olhasse, via um vasto deserto, do qual não via meios de escapar. Ainda assim, pensou consigo mesmo: "A profecia de meu pai nunca deu errado. Devo sobreviver a esta calamidade para encontrar minha morte em alguma praia". Aquele pensamento lhe deu força mental para caminhar com mais rapidez e tentar encontrar uma gota de água em algum lugar para molhar sua garganta seca.

Finalmente, conseguiu. Os céus colocaram um poço em ruínas em seu caminho. Ele achou que conseguiria pegar um pouco de água se baixasse o chombu com o barbante que sempre deixava amarrado em sua borda. Assim, mandou-o para baixo. Ele desceu um pouco e parou, e as seguintes palavras saíram do poço:

– Ah, ajude-me! Sou o rei dos tigres e estou aqui morrendo de fome. Não como nada há três dias. Foi o destino que o trouxe aqui. Se me ajudar agora, terá minha ajuda durante toda a vida. Não pense que sou uma fera. Quando me libertar, jamais tocarei em você. Por favor, ajude-me a sair daqui.

Gangazara pensou: "Devo tirá-lo dali ou não? Se eu o tirar, pode me transformar no primeiro bocado para satisfazer sua boca faminta. Não, ele não faria isso. Ou a profecia do meu pai não seria verdadeira. Devo morrer em uma praia, não devorado por um tigre". Com esse pensamento, pediu que o rei dos tigres segurasse com firmeza no vasilhame, e ele o obedeceu. Depois o puxou lentamente. O tigre chegou no alto do poço e foi para terra firme. Cumprindo sua palavra, ele não fez mal a Gangazara. Deu três voltas ao redor de seu benfeitor e, parado diante dele, proferiu humildemente as seguintes palavras:

– Meu salvador, meu benfeitor! Nunca me esquecerei desse dia, quando ganhei minha vida de volta por meio de suas amáveis mãos. Em troca de seu gentil auxílio, reitero minha promessa de ficar ao seu lado em todas as calamidades. Sempre que estiver em dificuldades, apenas pense em mim. Estarei com você, pronto para ajudar de todas as formas que puder. Contarei brevemente como fui parar lá dentro: há três dias, estava vagando naquela selva quando vi um ourives passar e o persegui. Ao ver que seria impossível escapar de minhas garras, ele pulou no poço, e nesse instante está vivendo no fundo dele. Também pulei, mas fui parar no primeiro peitoril do poço; ele está no quarto e último. No segundo, vive uma serpente meio morta de fome. No terceiro, fica um rato, também meio morto de fome. Quando tentar pegar água novamente, é possível que peçam para os libertar. Talvez o ourives faça o mesmo. Eu lhe suplico, como amigo, que nunca auxilie aquele homem desprezível, embora seja um ser humano como você. Nunca se deve confiar em um ourives. Pode ter mais confiança em mim, um tigre, embora às vezes devore homens; em uma serpente, cuja picada deixa seu sangue frio no mesmo instante; ou em um rato, que apronta mil travessuras em sua casa. Mas nunca confie em um ourives. Não o liberte. Se o fizer, acabará se arrependendo um dia.

Após dar aquele conselho, o tigre foi embora sem esperar resposta.

Gangazara pensou várias vezes na forma eloquente com que falou o tigre e admirou sua fluência. Ainda assim, sua sede não havia sido saciada. Então ele baixou novamente o vasilhame, que foi agarrado pela serpente, que se dirigiu a ele assim:

– Ah, meu protetor! Tire-me daqui. Sou o rei das serpentes, filho de Adisesha, que deve estar agoniado com meu desaparecimento. Liberte-me agora. Serei para sempre seu criado, lembrarei de sua ajuda e o auxiliarei por toda a vida, de todas as formas possíveis. Por favor: estou morrendo.

Gangazara, lembrando-se mais uma vez da "MORTE NA PRAIA" da profecia, puxou a serpente para fora. Assim como o tigre, ela deu três voltas ao redor do homem e, colocando-se diante dele, disse:

– Ah, meu salvador, meu pai, assim devo chamá-lo, pois me fez nascer de novo. Três dias atrás, eu estava me aquecendo no sol pela manhã quando um rato passou correndo por mim. Eu o persegui. Ele caiu no poço. Eu fui atrás, mas em vez de cair no terceiro peitoril, onde ele está agora, caí no segundo. Vou embora agora, ver meu pai. Sempre que estiver em dificuldades, apenas pense em mim. Estarei com você, pronto para ajudar de todas as formas que puder.

Assim, o Nagaraja se foi com movimentos sinuosos, e logo desapareceu da vista.

O pobre filho do adivinho, que já estava quase morrendo de sede, baixou a vasilha pela terceira vez. O rato a agarrou e, sem discussão, ele puxou o pobre animal de imediato. Mas ele não quis ir embora sem demonstrar sua gratidão:

– Oh, vida de minha vida! Meu benfeitor! Sou o rei dos ratos. Sempre que estiver em situação de calamidade, apenas pense em mim. Eu aparecerei e o ajudarei. Meus ouvidos aguçados ouviram o que o rei dos tigres lhe disse sobre o ourives, que está no fundo do poço. É triste, mas é verdade que nunca se deve confiar em um ourives. Portanto, nunca o ajude como fez com o restante de nós. Se o fizer, sofrerá com isso. Estou faminto, preciso ir agora.

Despedindo-se de seu benfeitor, o rei dos ratos também foi embora.

Gangazara pensou por um tempo no conselho repetido pelos três animais em relação à libertação do ourives. "Que mal haveria em ajudá-lo? Por que eu não deveria libertá-lo também"? Com esse pensamento, Gangazara baixou o vasilhame novamente. O ourives o agarrou e pediu ajuda. O filho do adivinho não tinha tempo a perder, estava morrendo de sede. Então, puxou para cima o ourives, que começou a contar sua história.

– Espere um pouco – disse Gangazara. E, depois de matar a sede ao baixar a vasilha pela quinta vez, ainda temendo que pudesse ter mais alguém no poço pedindo sua ajuda, ele ouviu a história do ourives.

– Meu caro amigo, meu protetor, quantas tolices aqueles brutos falaram sobre mim. Fico contente que não tenha ouvido os conselhos deles. Estou morrendo de fome. Permita que eu me vá. Meu nome é Manikkasari. Moro na rua principal, no Leste de Ujjain, que fica a vinte quilômetros ao Sul daqui, e estará em seu caminho quando voltar de Benares. Não deixe de me visitar e receber meus agradecimentos por sua ajuda quando estiver retornando ao seu país.

Com isso, o ourives se despediu e Gangazara continuou sua viagem para o Norte.

Chegou a Benares e lá viveu por mais de dez anos, esquecendo completamente do tigre, da serpente, do rato e do ourives. Passados dez anos de vida religiosa, voltou a pensar em sua casa e em seu irmão.

"Já reuni méritos suficientes por meio da vida religiosa. Voltarei para casa", pensou Gangazara. E logo estava a caminho de seu país. Lembrando-se da profecia do pai, ele voltou pelo mesmo caminho que havia percorrido para chegar a Benares dez anos antes. Enquanto refazia seus passos, chegou ao poço em ruínas de onde havia libertado os três animais e o ourives. Imediatamente, as antigas lembranças voltaram para sua mente e ele pensou no tigre para testar sua fidelidade. Passou-se apenas um instante e o rei dos tigres apareceu correndo diante dele, com uma grande coroa na boca. O brilho dos diamantes chegou a ofuscar por um momento até mesmo os raios do sol. Ele largou a coroa aos pés de seu salvador e, colocando o orgulho de lado, submeteu-se como um gato às carícias de seu protetor. Ele disse:

– Meu salvador! Como foi se esquecer de mim, seu pobre criado, por tanto tempo? Fico feliz em saber que ainda ocupo um canto de sua mente. Nunca me esquecerei do dia em que salvou minha vida com suas próprias mãos. Tenho várias joias de algum valor. Esta coroa é a mais valiosa de todas, por isso a trouxe. Leve-a para o seu país.

Gangazara olhou para a coroa, examinou-a diversas vezes, contou e recontou as pedras preciosas, e pensou consigo mesmo que ficaria muito rico se separasse os diamantes do outro e os vendesse em seu país. Ele se despediu do rei dos tigres e, quando ele desapareceu, pensou no rei das serpentes e no rei dos ratos que, um por vez, apareceram com presentes. Após os cumprimentos de costume e trocas de palavras, eles se despediram. Gangazara ficou muito satisfeito com a lealdade daquelas feras selvagens e seguiu viagem para o Sul. Enquanto caminhava, disse a si mesmo:

– Aqueles animais foram muito leais comigo. Muito mais, no entanto, deve ser Manikkasari. Não quero nada dele neste momento. Se eu levar essa coroa comigo da forma em que está, ocupará muito espaço em minha trouxa. Também pode provocar a curiosidade de ladrões pelo caminho. Seguirei para Ujjain. Manikkasari pediu que eu o visitasse sem falta na viagem de volta. Devo fazer isso e aproveitar para pedir a ele que derreta a coroa e separe os diamantes do ouro. Deve me fazer esse favor, pelo menos. Esconderei os diamantes e a bola de ouro nas roupas e seguirei para casa.

Assim, refletindo e refletindo, ele chegou a Ujjain. Logo perguntou pela casa de seu amigo ourives e a encontrou sem dificuldades. Manikkasari ficou extremamente satisfeito ao ver em sua porta aquele que, dez anos antes, apesar de conselhos recebidos do sábio tigre, da serpente e do rato, libertara-o das profundezas da morte. Gangazara imediatamente lhe mostrou a coroa que havia recebido do rei dos tigres, disse-lhe como a havia conseguido e pediu sua ajuda para separar o ouro dos diamantes. Manikkasari concordou e pediu que, enquanto isso, o amigo descansasse, tomasse um banho e se alimentasse. Gangazara, de costumes religiosos muito rígidos, foi direto ao rio para se banhar.

Como a coroa havia chegado às presas do tigre? Uma semana antes, o rei de Ujjain havia saído com seus homens para uma caçada. De repente, o rei do tigre saiu da floresta, agarrou o rei e desapareceu.

Quando os homens do rei informaram ao príncipe sobre a morte de seu pai, ele chorou e lamentou muito e avisou que daria metade de seu reino a quem lhe trouxesse notícias sobre o assassino de seu pai. O ourives sabia muito bem que o rei havia sido morto por um tigre e não pelas mãos de um caçador, uma vez Gangazara tinha lhe contado a origem da coroa. Ainda assim, ele decidiu denunciar Gangazara como assassino do rei, então, escondeu a coroa sob as vestes e correu para o palácio. Apresentou-se diante do príncipe e o informou que o assassino havia sido descoberto, mostrando-lhe a coroa. O príncipe pegou-a nas mãos, examinou-a e logo deu metade do reino a Manikkasari. Depois perguntou-lhe sobre o assassino.

– Ele está se banhando no rio e tem aparência assim e assim – respondeu ele.

Quatro soldados armados correram para o rio e amarram os pés e as mãos do pobre brâmane enquanto ele, sentado em meditação, não fazia ideia do que o destino lhe reservava. Levaram Gangazara até o príncipe, que virou o rosto para o suposto assassino e pediu que os soldados o jogassem na masmorra. Em um minuto, sem compreender a causa, o pobre brâmane se viu em uma masmorra escura.

Era uma escura cela subterrânea, construída com fortes paredes de pedra, para a qual criminosos culpados por delitos graves eram levados para dar seu último suspiro, sem comida nem bebida. Assim era o calabouço em que foi jogado Gangazara. O que pensou quando chegou àquele lugar? "Não adianta acusar o ourives ou o príncipe agora. Todos somos filhos do destino. Devemos obedecer às suas ordens. Este é o primeiro dia da profecia de meu pai. Até agora, o que ele escreveu se realizou. Mas como passarei dez anos aqui? Talvez, sem nada para comer ou beber, posso arrastar minha existência por um ou dois dias. Mas dez anos? Não é possível, eu morrerei. Antes que a morte chegue, deixe-me pensar em meus leais amigos selvagens."

Assim ponderou Gangazara na escura cela subterrânea e naquele momento pensou em seus três amigos. O rei dos tigres, o rei das serpentes e o rei dos ratos reuniram-se imediatamente com seus exércitos no jardim próximo à masmorra e, por um tempo, não souberam o que fazer. Discutiram e decidiram fazer uma passagem por baixo da terra, de um poço abandonado até a masmorra. O rajá dos ratos deu uma ordem imediata e seu exército, com os dentes afiados, perfurou o solo até as paredes da prisão. Quando a alcançaram, descobriram que seus dentes não davam conta das pedras duras. Os *bandicoots* foram então chamados especialmente para o trabalho. Eles, com seus dentes mais afiados, fizeram uma pequena fenda na parede, suficiente para um rato entrar e sair sem dificuldade. Assim, criaram uma passagem.

O rajá dos ratos entrou primeiro para lamentar a má sorte de seu protetor e comprometeu-se a levar provisões a ele.

– De todos os doces e pães preparados em qualquer casa, todos vocês devem tentar trazer o que for possível ao nosso benfeitor. Quando encontrarem roupas penduradas, cortem o tecido, mergulhem-no em água e tragam os pedaços molhados para nosso benfeitor. Ele os espremerá para recolher água para beber. E o pão e os doces lhe servirão de alimento. – Depois de dar as ordens, o rei dos ratos deixou Gangazara. Eles, obedecendo às ordens do rei, continuaram a fornecer provisões e água.

O rei das cobras disse:

– Eu me compadeço sinceramente de sua calamidade; o rei dos tigres também lamenta muito, ele pediu para dar o recado, pois não consegue arrastar seu corpo imenso pela passagem. O rei dos ratos prometeu fazer o possível para lhe fornecer comida. Nós faremos o que pudermos para que seja libertado. De hoje em diante, daremos ordens aos nossos exércitos para oprimirem todos os súditos deste reino. As mortes por picada de cobra e ataques de tigres serão multiplicadas por cem e continuarão até sua libertação. Sempre que ouvir pessoas por perto, grite para que ouçam: "O príncipe perverso me prendeu sob falsa acusação de ter matado seu pai, embora ele tenha sido morto por um tigre. Desde então, as desgraças invadiram seus domínios. Se eu for libertado, salvarei a todos com meus poderes de cura para ferimentos e envenenamento e com meus encantos". Alguém poderá relatar ao rei e, quando ele souber, terá sua liberdade.

Assim, consolando seu protetor, ele o aconselhou a se armar de coragem e o deixou. A partir daquele dia, tigres e serpentes, cumprindo ordens de seus reis, uniram-se para matar o máximo de pessoas e gado possível. Todos os dias, pessoas eram atacadas por tigres ou mordidas por serpentes. Dessa forma, passaram-se meses e anos. Gangazara ficava na cela escura, sem ver a luz do sol e se alimentava de migalhas de pães e doces que os ratos gentilmente lhe davam. As iguarias transformaram totalmente seu corpo em uma enorme e pesada massa de carne avermelhada. Assim, passaram-se dez anos, como previsto no horóscopo.

Ele passou uma década completa aprisionado. Na última noite do décimo ano, uma das serpentes entrou nos aposentos da princesa e lhe sugou a vida. Ela deu seu último suspiro. Era a única filha do rei, logo mandou chamar todos os curandeiros que tratavam de picadas de cobra. Prometeu metade de seu reino e a mão de sua filha a quem lhe restaurasse a vida. Então, um criado, que havia ouvido os gritos de Gangazara várias vezes, relatou a questão ao rei, que ordenou que sua cela fosse examinada. Lá estava o homem. Como havia conseguido viver tanto tempo naquela cela? Alguns sussurraram que devia ser um ser divino. Era o que discutiam enquanto levavam Gangazara ao rei.

Tão logo viu Gangazara, o rei foi ao chão. Ficou surpreso com a grandeza e magnificência de sua pessoa. Os dez anos que passou aprisionado em uma cela subterrânea deixaram seu corpo com uma espécie de lustro. Seu cabelo teve que ser cortado para que vissem seu rosto. O rei implorou que o perdoasse pelo erro e pediu que devolvesse a vida à sua filha.

– Traga-me em uma hora todos os corpos de homens e gados, moribundos e mortos, que não tenham sido cremados ou enterrados e devolverei a vida a todos – foi tudo o que disse Gangazara.

Carretas com corpos de homens e gados começaram a chegar a cada minuto. Até mesmo covas, dizem, foram abertas, e corpos enterrados um ou dois dias antes foram retirados para retomarem a vida. Quando estava tudo pronto, Gangazara pegou uma vasilha de água e a respingou sobre todos, pensando apenas no rei das cobras e no rei dos tigres. Todos se levantaram, como se despertassem de um sono profundo, e voltaram para suas respectivas casas. A princesa também voltou à vida. A alegria do rei não tinha limites. Amaldiçoou o dia em que o encarcerou, culpou-se por ter acreditado na palavra do ourives e ofereceu a Gangazara a mão de sua filha em casamento e o reino todo, em vez da metade, como havia prometido. Ele não aceitou nada, mas pediu que o rei reunisse todos os seus súditos em um bosque perto da cidade.

– Lá, chamarei todos os tigres e serpentes e lhes darei uma ordem.

Quando a cidade toda estava reunida, quase ao anoitecer, Gangazara ficou mudo por um instante e pensou no rei dos tigres e no rei das serpentes, que chegaram com seus exércitos. As pessoas começaram a fugir quando viram os tigres. Gangazara lhes garantiu que era seguro ficar ali.

A luz acinzentada do anoitecer, a cor de abóbora de Gangazara, as cinzas sagradas espalhadas sobre seu corpo, os tigres e cobras humildemente aos seus pés, conferiram-lhe a verdadeira majestade de um deus. Pois "quem mais, com uma única palavra, poderia comandar grandes exércitos de tigres e serpentes"?, disseram alguns.

– Pode ser magia. Não é grande coisa. O fato de ter ressuscitado montes de cadáveres mostra que é mesmo um feiticeiro – disseram outros.

– Por que, meus filhos, perturbaram esses pobres súditos de Ujjain? – perguntou o filho do adivinho. – Respondam-me e, de agora em diante, desistam dos ataques.

O rei dos tigres respondeu o seguinte:

– Por que este rei o encarcerou fiando-se na palavra de um mero ourives que o acusava do assassinato de seu pai? Todos os caçadores disseram que seu pai tinha sido levado por um tigre. Fui eu o mensageiro da morte enviado para acertar o golpe fatal em seu pescoço. Fui eu. E fui eu também quem lhe entreguei a coroa. O príncipe não fez nenhuma pergunta e logo o aprisionou. Como podemos esperar justiça de um rei tão estúpido como esse? A menos que ele adote um padrão de justiça melhor, continuaremos com a destruição.

O rei ouviu, amaldiçoou o dia em que acreditou na palavra do ourives, bateu na cabeça, arrancou os cabelos, chorou e lamentou por seu crime, pediu mil perdões e prometeu reinar de forma justa daquele dia em diante. O rei das serpentes e o rei dos tigres também juraram cumprir sua promessa, contanto que a justiça prevalecesse, e se foram. O ourives fugiu para não ser morto. Foi capturado pelos soldados do rei e perdoado pelo generoso Gangazara, cuja voz agora reinava suprema. Todos voltaram para suas casas.

O rei pressionou mais uma vez Gangazara a aceitar a mão de sua filha. Ele concordou, mas não naquele momento, e sim um tempo depois. Queria ver o irmão mais velho primeiro e então voltaria para se casar com a princesa. O rei concordou, e Gangazara saiu da cidade no mesmo dia, rumando para casa.

Acontece que, sem querer, pegou a estrada errada e teve que passar perto de uma praia. Seu irmão mais velho também estava a caminho de

Benares pela mesma rota. Eles se encontraram e se reconheceram, mesmo a distância. Correram para os braços um do outro. Ambos permaneceram imóveis por um tempo, quase inconscientes de tanta alegria. O prazer de Gangazara foi tão grande que ele morreu de felicidade.

O irmão mais velho era devoto de Ganesha. Era sexta-feira, um dia sagrado para aquele deus. O irmão levou o corpo para o templo de Ganesha mais próximo e o invocou. O deus apareceu e perguntou o que ele queria:

– Meu pobre irmão está morto, este é seu corpo. Por favor, mantenha-o aos seus cuidados enquanto termino minhas orações. Se eu o deixar em outro lugar, os demônios podem arrebatá-lo enquanto eu estiver ausente rezando para você. Depois de terminadas as cerimônias, eu o cremarei – disse o irmão mais velho.

Entregando o cadáver ao deus Ganesha, ele foi se preparar para os cerimoniais daquela divindade. Ganesha deixou o corpo com seus Ganas, pedindo que cuidassem dele com atenção. Mas, em vez disso, eles o devoraram.

O irmão mais velho, após terminar as orações, pediu ao deus o corpo do irmão de volta. O deus chamou seus Ganas, que se apresentaram piscando os olhos, temendo a ira de seu senhor. O deus ficou furioso. O irmão mais velho ficou muito zangado. Quando o corpo não apareceu, ele perguntou com aspereza:

– É essa, afinal, a recompensa por minha profunda crença em ti? Não é capaz nem de devolver o corpo de meu irmão.

Ganesha ficou muito envergonhado com a observação. Então, com seu poder divino, ele lhe deu um Gangazara vivo, em vez do cadáver. Assim, o segundo filho do adivinho voltou à vida.

Os irmãos tiveram uma longa conversa sobre suas aventuras. Foram os dois a Ujjain, onde Gangazara se casou com a princesa e foi sucessor do trono daquele reino. Por um longo tempo, governou e concedeu vários benefícios ao irmão. Assim, se concretizou completamente seu horóscopo.

Harisarman

Era uma vez um brâmane chamado Harisarman. Era pobre e tolo, precisava muito de um emprego, e tinha tantos filhos que talvez estivesse colhendo os frutos dos erros cometidos em uma vida passada. Ele vagava pedindo esmola com a família e, por fim, chegou a uma cidade e passou a trabalhar para um rico proprietário de terras chamado Sthuladatta. Seus filhos tratavam das vacas e de outras propriedades de Sthuladatta, sua esposa tornou-se criada dele, e ele próprio morava perto da casa e virou seu empregado. Um dia, houve um banquete pelo casamento da filha de Sthuladatta, ao qual compareceram muitos amigos e convidados do noivo. Harisarman esperava poder se encher de ghee, carne e outras guloseimas e conseguir o mesmo para sua família na casa de seu empregador. Ele ficou esperando ansiosamente que lhe levassem alguma comida, mas ninguém se lembrou dele.

Ficou aflito por não receber nada para comer, então disse à esposa:

– Aqui me tratam com tanto desrespeito porque sou pobre e ignorante; então fingirei ter conhecimentos de magia, assim poderei conquistar o respeito de Sthuladatta. Quando tiver oportunidade, diga a ele que tenho conhecimentos de magia.

Depois de pensar sobre o assunto enquanto as pessoas dormiam, ele roubou da casa de Sthuladatta um cavalo que o genro do senhor costumava cavalgar. Escondeu-o a certa distância e, pela manhã, os amigos do noivo não encontraram o cavalo, mesmo depois de procurar por todas as partes. Enquanto Sthuladatta estava angustiado com o mau agouro e tentando encontrar os ladrões que tinham levado o cavalo, a esposa de Harisarman disse a ele:

– Meu marido é um homem sábio, conhecedor de astrologia e ciências mágicas. Ele pode recuperar o cavalo. Por que não pede a ele?

Quando o Sthuladatta ouviu aquilo, chamou Harisarman, que disse:

– Ontem fui esquecido. Mas hoje, agora que o cavalo foi roubado, sou lembrado.

E Sthuladatta o apaziguou com essas palavras:

– Não me lembrei de você, peço perdão. – E pediu que ele contasse quem havia levado o cavalo.

Harisarman desenhou diversos diagramas de mentira e respondeu:

– O cavalo foi escondido por ladrões no limite sul do terreno. Deve buscá-lo logo, antes que o levem para mais longe, o que acontecerá no fim do dia de hoje.

Ao ouvirem aquilo, muitos homens correram e rapidamente recuperaram o cavalo, elogiando o discernimento de Harisarman e proclamando um sábio. Ele ficou vivendo lá, feliz, respeitado por Sthuladatta.

Os dias se passaram e um grande tesouro, composto por ouro e joias, foi roubado do palácio do rei. Como o ladrão não era conhecido, o rei logo chamou Harisarman, famoso por seus conhecimentos de magia. Tentando ganhar tempo, ele disse:

– Eu lhe direi amanhã.

O rei o colocou em aposentos muito bem vigiados e Harisarman arrependeu-se de ter fingido conhecer magia. No palácio, havia uma criada chamada Jihva (que significa "língua") que, com auxílio do irmão, havia roubado o tesouro do palácio. Preocupada com o que poderia saber Harisarman, à noite ela foi até o cômodo em que ele estava e encostou o ouvido na porta para tentar descobrir o que ele estava fazendo. Harisarman, sozinho lá dentro, naquele exato instante culpava a própria língua por ter feito aquela vã declaração de conhecimento. Ele disse:

– Língua, o que foi fazer em nome da cobiça? Perversa, logo será castigada.

Quando Jihva ouviu aquilo, pensou, horrorizada, que havia sido descoberta pelo sábio e conseguiu entrar onde ele estava. Caindo aos seus pés, disse ao suposto mago:

– Brâmane, cá estou, a Jihva que roubou o tesouro, como já descobriu. Depois que o levei, enterrei-o no jardim que fica atrás do palácio, sob uma romãzeira. Então poupe minha vida e receba a pequena quantidade de ouro que tenho comigo.

Quando Harisarman ouviu aquilo, disse a ela com orgulho:

– Vá embora, já sei tudo isso. Conheço o passado, o presente e o futuro. Não a denunciarei, criatura infeliz, por ter implorado por minha proteção. Mas deve entregar a mim todo o ouro que possuir.

Quando ele disse isso à criada, ela concordou e partiu rapidamente. Harisarman refletiu, surpreso: "Assim como no jogo, o destino traz coisas impensáveis. Com a calamidade tão próxima, quem pensaria que o acaso traria o sucesso? Enquanto eu culpava minha *jihva*, a ladra Jihva de repente se jogou aos meus pés. Crimes secretos se manifestam por meio do medo".

Assim, jubiloso, ele passou a noite no quarto. Pela manhã, levou o rei, com um desfile hábil de conhecimentos fingidos, até o jardim e o conduziu ao tesouro, enterrado sobre a romãzeira, dizendo que o ladrão havia escapado com uma parte. O rei ficou satisfeito e lhe recompensou com muitas aldeias.

Mas um ministro chamado Devajnanin sussurrou no ouvido do rei:

– Como um homem pode ter um conhecimento tão inatingível sem ter estudado livros de magia? Pode ter certeza de que se trata de alguém desonesto, que confabula em segredo com ladrões. Seria melhor testá-lo de outra forma.

O rei então trouxe uma jarra coberta, dentro da qual havia colocado um sapo, e disse a Harisarman:

– Brâmane, se conseguir adivinhar o que há nesta jarra, eu lhe farei uma grande honraria hoje.

Ao ouvir aquilo, o brâmane Harisarman pensou que havia chegado sua hora e lhe veio à cabeça o apelido "Sapinho", que seu pai tinha lhe dado na infância. Compelido a lamentar a má sorte em voz alta, ele disse:

– É uma pena, Sapinho, que uma jarra tão bonita seja a sua destruição.

Os presentes o aplaudiram, pois sua fala harmonizara perfeitamente com o objeto apresentado e murmuram:

– Ah, que grande sábio! Sabe até sobre o sapo!

O rei, achando que aquilo se devia ao dom da adivinhação, ficou exultante e deu a Harisarman mais aldeias, além de ouro, um guarda-chuva e carruagens de todo tipo. Assim prosperou Harisarman no mundo.

O anel encantado

Um mercador deu trezentas rupias para o filho começar a vida e propôs que ele fosse para outro país tentar a sorte no comércio. O filho pegou o dinheiro e partiu. Ainda não tinha ido muito longe quando encontrou alguns pastores discutindo por um cachorro que alguns queria matar.

– Por favor, não matem o cachorro – pediu o jovem compassivo. – Dou cem rupias por ele.

Na mesma hora, fecharam negócio, o tolo rapaz pegou o cachorro e seguiu viagem. Em seguida, encontrou umas pessoas discutindo sobre um gato. Alguns queriam matá-lo, mas outros não.

– Ah! Por favor, não o matem – disse ele. – Dou cem rupias por ele.

Como era de se imaginar, logo eles lhe deram o gato e pegaram o dinheiro. Ele continuou até chegar a uma aldeia, onde pessoas discutiam sobre uma cobra que havia sido capturada. Alguns queriam matá-la e outros não.

– Por favor, não matem a cobra – pediu ele. – Dou cem rupias por ela.

As pessoas, é claro, concordaram e ficaram muito felizes.

Como ele era tolo! O que faria agora que não tinha mais dinheiro algum? O que poderia fazer, além de voltar para a casa do pai? Assim, ele voltou para casa.

– Seu idiota! Seu patife! – exclamou o pai quando soube como o filho tinha gastado todo o dinheiro que recebera. – Vá morar no estábulo. Até se arrepender de tamanha tolice, não voltará a entrar em minha casa.

O jovem foi então viver no estábulo. Sua cama era a grama espalhada para o gado, e seus companheiros eram o cachorro, o gato e a cobra que havia comprado com tanto amor. Os animais tinham muito amor por ele, seguiam-no durante o dia e dormiam ao seu lado à noite. O gato dormia aos seus pés, o cachorro perto da cabeça e a cobra sobre seu corpo, com a cabeça pendurada de um lado e o rabo do outro.

Um dia, durante uma conversa, a cobra disse a seu senhor:

– Meu pai é o rajá Indrasha. Certo dia, saí para tomar um pouco de ar e me sequestraram, teriam me matado se não tivesse chegado oportunamente para me resgatar. Não sei como poderei retribuir sua enorme gentileza. Queria que conhecesse meu pai! Ele ficaria muito feliz em conhecer o salvador de seu filho!

– Onde ele mora? Eu gostaria de visitá-lo, se possível – disse o jovem.

– Pois bem! – exclamou a cobra. – Está vendo aquela montanha? Na base dela tem uma fonte sagrada. Se me acompanhar e mergulhar naquela fonte, nós dois podemos chegar ao país do meu pai. Ah! Como ele ficará feliz em vê-lo! Desejará recompensá-lo também. Mas como ele poderia fazer isso? No entanto, deveria aceitar o que ele lhe oferecesse. Se lhe perguntar o que gostaria, talvez faça bem em responder: "O anel que tem na mão direita e a famosa tigela com colher que possui". De posse disso, nunca precisará de mais nada, pois o anel funciona de tal forma que basta pedir e de imediato uma bela mansão completamente mobiliada será providenciada, enquanto a tigela e a colher fornecerão toda sorte de alimentos raros e deliciosos.

Acompanhado dos três companheiros, o homem foi até a fonte e se preparou para pular, de acordo com as orientações da cobra.

– Ah, senhor! – exclamaram o gato e o cachorro, quando viram o que ele faria. – O que devemos fazer? Para onde devemos ir?

– Esperem por mim aqui – respondeu ele. – Não vou muito longe. Não devo demorar muito. – Ele mergulhou na água e desapareceu.

– E agora, o que devemos fazer? – perguntou o cachorro ao gato.

– Devemos permanecer aqui, como ordenou nosso senhor – respondeu o gato. – Não se preocupe com comida. Irei às casas das pessoas e pegarei o suficiente para nós dois.

Assim fez o gato, e os dois viveram muito confortavelmente até seu senhor voltar e se juntar a eles.

O jovem e a cobra chegaram ao seu destino em segurança, e o rajá foi avisado da chegada. Sua alteza ordenou que o filho e o estranho se apresentassem diante dele. Mas a cobra se recusou, dizendo que só voltaria para o pai se fosse liberado pelo estranho, que o havia salvado de uma morte terrível e de quem, portanto, era escravo. O rajá abraçou o filho e, cumprimentando o estranho, recebeu-o em seu país. O jovem passou alguns dias lá, durante os quais recebeu o anel da mão direita do rei e a tigela com a colher como forma de agradecimento por ter salvado seu filho. Ele então voltou. Ao chegar à superfície da fonte, encontrou seus amigos, o cachorro e o gato, esperando por ele. Muito contentes, contaram uns aos outros o que havia acontecido desde que se viram pela última vez. Depois caminharam juntos pela margem do rio, onde o jovem decidiu experimentar os poderes do anel encantado e da tigela com a colher.

O filho do mercador falou com o anel, e imediatamente uma bela casa e uma adorável princesa de cabelos dourados apareceu. Ele falou também com a tigela e a com a colher, e os pratos mais deliciosos foram providenciados. Ele se casou com a princesa e eles viveram muito felizes por vários anos, até que uma manhã, a princesa, enquanto se arrumava, colocou os fios soltos de seus cabelos em um pedaço oco de junco e o jogou no rio que corria sob sua janela. O junco flutuou por muitos quilômetros e, por fim, foi recolhido pelo príncipe daquele país que, curioso, o abriu e viu os cabelos dourados. Ele logo saiu correndo para o palácio, trancou-se no quarto e não quis mais sair. Havia se apaixonado perdidamente pela dona daqueles fios e se recusava a comer, beber, dormir e se mover até que ela fosse trazida até ele. O rei, seu pai, ficou muito aflito e não sabia o que fazer. Temia que seu filho morresse e o deixasse sem herdeiros. Por fim, decidiu seguir o conselho de sua tia, que era uma ogra. A anciã concordou em ajudá-lo e pediu que não ficasse ansioso, pois tinha certeza de que conseguiria encontrar a bela mulher e torná-la esposa de seu filho.

Então, a tia do príncipe assumiu a forma de uma abelha e partiu zumbindo, zumbindo e zumbindo. Seu olfato apurado a levou até uma bela princesa, diante de quem apareceu como uma velha bruxa que tinha na mão um cajado sobre o qual se apoiava. Apresentou-se à bela princesa e disse:

– Sou sua tia. Não me conhece porque saí do país antes de seu nascimento. – Ela abraçou e beijou a princesa para enfatizar suas palavras e assim conseguiu enganá-la.

A bela princesa retribuiu o abraço da ogra e a convidou para entrar e ficar em sua casa pelo tempo que quisesse, tratando-a com tanto respeito e atenção que a ogra pensou: "Logo completarei minha missão". Depois de três dias na casa, ela começou a falar do anel encantado e a aconselhou a ficar com ele em vez de deixá-lo com o marido, pois ele saía constantemente para caçadas e poderia perdê-lo. Assim, a bela princesa pediu o anel para o marido, que lhe entregou prontamente.

A ogra aguardou mais um dia e pediu para ver aquela preciosidade. Sem duvidar de nada, a princesa concordou. Quando a ogra agarrou o anel, reassumiu a forma de abelha e saiu voando com ele para o palácio, onde o príncipe estava à beira da morte.

– Levante-se. Alegre-se. Não chore mais – disse ela. – A mulher por quem anseia aparecerá quando a chamar. Veja, aqui está o amuleto que a trará.

O príncipe quase enlouqueceu de alegria e ficou tão desejoso de ver a bela princesa que falou imediatamente com o anel, e a casa com sua ocupante surgiu no meio do jardim do palácio. Ele logo entrou na residência e, declarando seu intenso amor à bela princesa, rogou que se tornasse sua esposa. Não vendo como escapar daquela situação difícil, ela concordou, com a condição de que ele esperasse um mês.

Enquanto isso, o filho do mercador voltou da caçada e ficou extremamente aflito por não encontrar sua casa nem sua esposa. Havia apenas o lugar tal qual ele conhecera antes de testar o anel encantado que o rajá

Indrasha havia lhe dado. Ele decidiu dar fim à própria vida. Logo chegaram o gato e o cachorro. Eles haviam se escondido quando viram que a casa e todo o resto tinham desaparecido.

– Ah, senhor! – disseram. – Contenha sua mão. A provação é grande, mas pode ser remediada. Dê-nos um mês, que tentaremos recuperar sua esposa e sua casa.

– Vão – disse ele. – Que o bom Deus auxilie em seus esforços. Tragam de volta minha esposa, e viverei.

O gato e o cachorro saíram correndo e não pararam até encontrarem o lugar para onde haviam levado sua senhora e a casa.

– Poderemos encontrar algumas dificuldades aqui – disse o gato. – Veja, o rei pegou para si a esposa de nosso mestre e a casa. Fique aqui. Entrarei na casa e tentarei encontrá-la.

O cachorro ficou esperando e o gato escalou até a janela do quarto em que estava a bela princesa e entrou. Ela reconheceu o gato e contou tudo o que havia acontecido desde seu desaparecimento.

– Mas não há como escapar das mãos dessas pessoas? – perguntou ela.

– Há, sim – respondeu o gato. – Se souber me dizer onde está o anel encantado.

– O anel está no estômago da ogra – disse ela.

– Muito bem! – exclamou o gato. – Eu o recuperarei. Quando estivermos com ele, tudo será nosso novamente.

O gato desceu a parede da casa, deitou perto de um buraco de rato e fingiu que estava morto. Acontece que estava sendo celebrado um casamento de ratos naquele lugar, e todos os ratos da vizinhança estavam reunidos bem naquela toca perto da qual o gato deitara. O filho mais velho do rei dos ratos estava prestes a se casar. O gato ficou sabendo e logo teve a ideia de sequestrar o noivo e obrigá-lo a fornecer a ajuda de que necessitava. Consequentemente, quando o cortejo saiu do buraco, gritando e saltando em comemoração à ocasião, ele rapidamente avistou o noivo e pulou sobre ele.

– Solte-me, solte-me – berrou o rato, apavorado.

– Solte-o – gritaram os outros. – É o dia de seu casamento.

– Não, não – respondeu o gato. – Não até que façam algo para mim. Ouçam. A ogra que mora nesta casa com o príncipe e sua esposa engoliu um anel, e eu preciso muito dele. Se o conseguirem para mim, deixarei o rato partir ileso. Se não o fizerem, seu príncipe morrerá.

– Muito bem, nós concordamos – disseram eles. – E mais ainda, se não conseguirmos o anel, poderá devorar todos nós.

A oferta era muito ousada. No entanto, eles cumpriram a missão. À meia-noite, quando a ogra dormia profundamente, um dos ratos foi até na cama, subiu em seu rosto e inseriu a cauda na garganta dela. Com isso, a ogra tossiu violentamente, o anel saiu e caiu rolando no chão. O rato pegou aquele bem precioso e correu com ele até seu rei, que ficou muito feliz e foi até o gato para que libertasse seu filho.

Assim que o gato recebeu o anel, foi ao encontro do cachorro e foram dar a boa notícia ao senhor. Tudo parecia bem. Bastava entregarem o anel ao homem, que falaria com ele. Assim, a casa e a bela princesa voltariam a estar com eles e tudo seria feliz como antes.

– Nosso senhor ficará tão feliz! – disseram e correram o mais rápido que suas patas permitiam.

No caminho, precisavam atravessar um riacho. O cachorro nadou, e o gato foi sentado em suas costas. O cachorro estava com inveja do gato, então pediu-lhe o anel e ameaçou jogá-lo na água se não o entregasse. Assim, o gato entregou o anel. Haja arrependimento, pois o cachorro o derrubou e um peixe o engoliu.

– Ah! O que farei? O que farei? – perguntou o cachorro.

– O que está feito, está feito – respondeu o gato. – Devemos tentar recuperá-lo e se não conseguirmos é melhor nos afogarmos neste mesmo riacho. Tenho um plano. Mate um cordeiro pequeno e o traga para mim.

– Certo – disse o cachorro e saiu correndo. Ele logo voltou com um cordeiro morto e o entregou ao gato. O gato entrou dentro do cordeiro e se deitou, dizendo ao cachorro para se afastar um pouco e ficar quieto. Não muito tempo depois, um nadhar, ave capaz de romper espinhas de peixe só com o olhar, ficou pairando sobre o cordeiro e, depois de um tempo, pousou para carregá-lo. Nesse momento, o gato saiu e pulou sobre a ave, ameaçando matá-la se não recuperasse o anel perdido. O nadhar prometeu que o faria e imediatamente voou até o rei dos peixes e ordenou que descobrisse onde estava o anel e o devolvesse. O rei dos peixes fez o que lhe pediram, e o anel foi encontrado e devolvido ao gato.

– Vamos, já estou com o anel – disse o gato ao cachorro.

– Não, eu não vou – disse o cachorro. – A menos que me deixe ficar com o anel. Posso carregá-lo tão bem quanto você. Deixe-me ficar com ele, ou o matarei.

Então o gato foi obrigado a ceder o anel. O cachorro descuidado logo o derrubou novamente. Dessa vez, foi pego e levado por um milhafre.

– Veja, veja, lá está ele, fugiu para aquela árvore grande – exclamou o gato.

– Ah! Ah! O que eu fiz? – gritou o cachorro.

– Seu tolo, sabia que seria assim – afirmou o gato. – Mas pare de latir ou acabará assustando a ave e não conseguiremos mais encontrá-la.

O gato esperou até escurecer e escalou a árvore, matou o milhafre e recuperou o anel.

– Venha – disse ele ao cachorro ao descer. – Temos que nos apressar. Estamos atrasados. Ou nosso senhor morrerá de tanto sofrimento e suspense. Venha.

O cachorro, agora totalmente envergonhado de si mesmo, implorou o perdão do gato por todos os problemas que havia causado. Ele estava com medo de pedir o anel pela terceira vez, então ambos chegaram ao lastimoso senhor em segurança e lhe entregaram o precioso amuleto. Em um instante, toda a tristeza se transformou em alegria. Ele falou com o anel e sua bela esposa e sua casa reapareceram, e todos voltaram a ser felizes com antes.

A tartaruga tagarela

O futuro Buda nasceu na família de um sacerdote, quando Brahmadatta reinava em Benares. Ao crescer, tornou-se conselheiro do rei sobre assuntos temporais e espirituais.

Bem, o rei era muito falador; enquanto falava, ninguém mais tinha oportunidade de dizer uma palavra. O futuro Buda, desejando curar tamanha tagarelice, estava sempre buscando meios de fazê-lo.

Naquela época, em um lago do Himalaia, vivia uma tartaruga. Dois jovens hamsas, ou patos selvagens, que ali se alimentavam fizeram amizade com ela. Um dia, quando já estavam bem íntimos, disseram à tartaruga:

– Amiga tartaruga! O lugar onde vivemos, na Caverna Dourada, do Monte Belo, na região do Himalaia, é encantador. Gostaria de ir até lá conosco?

– Mas como farei para chegar até lá?

– Podemos levá-la, se conseguir segurar a língua e não dizer nada a ninguém.

– Ah! Eu posso fazer isso. Levem-me com vocês.

– Muito bem – disseram. E, pedindo que a tartaruga mordesse um graveto, seguraram cada um em uma ponta e saíram voando.

Vendo a tartaruga sendo carregada pelos hamsas, alguns aldeãos gritaram:

– Dois patos selvagens estão carregando uma tartaruga em um graveto!

A tartaruga quis responder:

– Se meus amigos querem me carregar, o que lhes importa, seus miseráveis?!

Assim, tão logo o rápido voo dos patos a levou ao palácio do rei, na cidade de Benares, ela soltou o graveto que mordia e, caindo no pátio aberto, partiu-se em duas! Todos gritaram:

– Uma tartaruga caiu no pátio e se partiu em duas!

O rei, acompanhado do futuro Buda, foi até o local, cercado por cortesãos. Olhando para a tartaruga, perguntou ao bodisatva:

– Mestre! Como ela foi cair aqui?

O futuro Buda pensou consigo mesmo: "Há muito espero por um modo de advertir o rei. Esta tartaruga deve ter feito amizade com os patos selvagens, e eles devem ter pedido para ela morder o graveto e depois levantaram voo para levá-la para as montanhas. Mas ela, incapaz de segurar a língua quando ouve outra pessoa falar, deve ter tentado falar algo e soltado o graveto. Assim, deve ter caído do céu e, portanto, perdido a vida".

– Na verdade, majestade, aqueles considerados tagarelas, pessoas cujas palavras não têm fim, acabam lamentando-se dessa forma – disse ele.

Depois proferiu esses versos:

A tartaruga se matou, decerto
Por sua voz ter soltado;
Acabou passando aperto,
Devia ter se segurado.

Contemple-a bem de perto
Com as palavras, tenha cuidado.
Ela quis manter o bico aberto,
E triste foi o resultado!

O rei notou que o conselheiro estava se referindo a ele, e disse:

– Ó, mestre! Está falando de mim?

E o bodisatva respondeu abertamente:

– Ó, grande rei. Seja o senhor ou qualquer outro, quem fala além da conta acaba sofrendo algum infortúnio como esse.

E o rei, daquele momento em diante, conteve-se e tornou-se um homem de poucas palavras.

Cem mil rupias por alguns conselhos

Um pobre brâmane cego e sua esposa dependiam do filho para a subsistência. Todo dia, o jovem saía para pedir esmolas. Assim continuou por um tempo até que, por fim, cansou-se daquela vida tão miserável e decidiu tentar a sorte em outro país. Informou suas intenções à esposa e pediu que ela desse um jeito de cuidar dos mais velhos durante os poucos meses em que ele se ausentaria. Suplicou que ela se esforçasse, ou seus pais poderiam se zangar e se indispor com ele.

Certa manhã, ele partiu com um pouco de comida em uma trouxa e caminhou durante dias até chegar à principal cidade de um país vizinho. Lá, sentou-se junto ao estabelecimento de um mercador e pediu esmola. O mercador perguntou de onde ele vinha, o motivo e qual era sua casta. Ele respondeu que era brâmane e estava andando por aqui e por ali, esmolando para sustentar a si mesmo, esposa e pais. Com pena do homem, o mercador o aconselhou a visitar o gentil e generoso rei daquele país, e se ofereceu para acompanhá-lo ao palácio. Por coincidência, o rei estava procurando um brâmane para cuidar do templo dourado que acabara de construir. Sua majestade ficou muito feliz, portanto, quando viu o brâmane e soube que era um homem bom e honesto. Logo o incumbiu dos cuidados com o templo e ordenou que lhe pagassem cinquenta kharwars de arroz e cem rupias anuais.

Dois meses depois, a esposa do brâmane, não tendo notícias do marido, saiu de casa e partiu à sua procura. Por uma feliz coincidência, chegou exatamente ao mesmo lugar que ele havia chegado, onde ficou sabendo que todas as manhãs, no templo dourado, uma rupia de ouro era doada em nome do rei a qualquer mendigo que fosse buscá-la. Assim, na manhã seguinte, ela foi até lá e encontrou o marido.

– Por que veio até aqui? – perguntou ele. – Por que deixou meus pais sozinhos? Não se importa que me maldigam e eu morra? Volte imediatamente e aguarde meu retorno.

– Não, não – disse a mulher. – Não posso voltar para passar fome e ver seu velho pai e sua velha mãe morrerem. Não resta mais nem um grão de arroz na casa.

– Por Bhagavan! – exclamou o brâmane. – Aqui está, pegue – disse ele, escrevendo algumas linhas em um papel e o entregando a ela. – Entregue ao rei. Ele lhe dará cem mil rupias por isso.

Dito isto, eles se despediram e a mulher partiu.

No pedaço de papel, ele havia escrito três conselhos:

Primeiro: se uma pessoa estiver viajando e chegar durante à noite a um lugar estranho, deve ter cuidado ao escolher onde ficar e não fechar os olhos para dormir, a menos que acabe fechando-os para morrer. Segundo: se um homem tiver uma irmã casada e a visitar com grande pompa, ela o receberá pensando no que poderá obter dele, mas se a visitar na miséria, ela franzirá a testa para ele e o repudiará. Terceiro: se um homem tiver que fazer qualquer trabalho, deve fazê-lo ele mesmo, com todas as suas forças e sem medo.

Ao chegar em casa, a brâmane contou aos sogros sobre o encontro com seu marido e sobre o valioso pedaço de papel que ele lhe havia dado. Mas, não querendo apresentar-se diante do rei, enviou um de seus parentes. O rei leu o papel e, ordenando que o homem fosse açoitado, dispensou-o. Na manhã seguinte, a brâmane pegou o papel e, enquanto seguia pela estrada que levava ao palácio, o filho do rei a encontrou e perguntou o que ela estava lendo. Ela respondeu que tinha nas mãos um papel que continha alguns pequenos conselhos, pelos quais desejava cem mil rupias. O príncipe pediu que lhe mostrasse o papel e, quando o leu, entregou-lhe uma letra de pagamento com a quantia e partiu em seu cavalo. A pobre brâmane ficou muito agradecida. No mesmo dia, fez uma grande reserva de mantimentos, o suficiente para durar muito tempo.

À noite, o príncipe contou ao pai sobre o encontro com a mulher e a compra do pedaço de papel. Ele achou que seu pai o parabenizaria pelo ato. Mas não foi o que aconteceu. O rei ficou mais zangado do que antes expulsou o filho do país.

O príncipe se despediu de sua mãe e familiares e partiu em seu cavalo sem saber para onde. À noite, chegou a um lugar onde encontrou um homem que o convidou para se hospedar em sua casa. O príncipe aceitou o convite e foi tratado como rei. Estenderam um tapete para que se deitasse e lhe serviram boa comida.

"Ah!", ele pensou enquanto se deitava para descansar. "Aqui cabe o primeiro conselho que a brâmane me deu. Não dormirei esta noite."

Ele fez muito bem em ter decidido aquilo, pois, no meio da noite, o homem levantou e correu com uma espada até o príncipe com a intenção de matá-lo. Mas ele se levantou e disse:

– Não me mate. O que ganharia com minha morte? Se me matar, você vai se arrepender depois, como aquele homem que matou o próprio cachorro.

– Que homem? Que cachorro? – perguntou ele.

– Eu conto – disse o príncipe. – Se me entregar a espada.

Ele então entregou a espada e o príncipe começou a contar a história:

– Era uma vez um rico mercador que tinha um cachorro de estimação. De repente, foi acometido pela pobreza e teve que se desfazer do cachorro. Pegou um empréstimo de cinco mil rupias com um outro mercador para recomeçar, deixando o cachorro como garantia. Pouco depois, o estabelecimento do outro mercador foi invadido por ladrões e completamente saqueado. Não restaram nem dez rupias no local. O leal cachorro, no entanto, entendeu o que estava acontecendo, seguiu os ladrões e viu onde haviam deixado as coisas. Então retornou.

"Pela manhã, houve muito choro e lamentação na casa do mercador quando se soube o que havia acontecido. O próprio mercador quase enlouqueceu. Enquanto isso, o cachorro ficava correndo até a porta, puxando a camisa do pijama de seu dono, como se quisesse que ele saísse. Por fim, um amigo sugeriu que talvez o cachorro soubesse algo sobre o paradeiro da mercadoria, e aconselhou o mercador a segui-lo. O mercador consentiu e foi atrás do cachorro até o lugar onde os ladrões haviam escondido tudo. O animal arranhou o chão e latiu, mostrando de várias formas que as coisas estavam enterradas. O mercador e seus amigos cavaram e logo encontraram a mercadoria roubada. Não faltava nada. Tudo o que havia sido levado estava lá.

"O mercador ficou muito feliz. Ao voltar para casa, imediatamente mandou o cachorro de volta ao antigo dono com uma carta enrolada sob a coleira, onde contava sobre a sagacidade do animal e pedia que o amigo esquecesse a dívida e aceitasse mais cinco mil rupias de presente. Quando o antigo dono viu o cachorro voltando, pensou: 'Ai, de mim! Meu amigo está querendo seu dinheiro. Como o pagarei? Não tive tempo suficiente para me recuperar das perdas recentes. Matarei o cachorro antes que ele chegue à minha porta e direi que foi outra pessoa. Assim, minha dívida será eliminada. Sem cachorro, sem dívida.' Assim, ele saiu correndo e matou o pobre cachorro. Quando a carta caiu de sua coleira, o mercador a pegou e leu. O sofrimento e decepção foram enormes quando ele tomou conhecimento dos fatos".

O príncipe continuou:

– Cuidado para não fazer algo que depois daria a vida por não ter feito.

Já estava quase amanhecendo quando o príncipe concluiu a história e então foi embora após recompensar o homem.

Em seguida, o príncipe visitou o país governado por seu cunhado. Disfarçou-se de iogue e, sentado embaixo de uma árvore perto do palácio, fingiu estar concentrado em suas orações. A notícia da chegada de um homem muito piedoso chegou aos ouvidos do rei, que se interessou por ele. Sua esposa estava muito enferma, e ele havia procurado médicos para curá-la, porém a busca tinha sido em vão. Pensou que, talvez, aquele homem santo pudesse fazer algo por ela. Então mandou que o buscassem. O iogue se recusou a pisar nos salões de um rei, dizendo que morava a céu aberto e que, se sua majestade desejasse vê-lo, deveria ir ele mesmo até lá e levar sua esposa junto. O rei pegou a esposa e a levou ao iogue. O homem santo pediu que ela se prostrasse diante dele e, depois de ficar naquela posição por cerca de três horas, ele disse que ela poderia se levantar, pois estava curada.

À noite, houve grande consternação no palácio, porque a rainha havia perdido seu rosário de pérolas e ninguém sabia onde ele estava. Depois de um tempo, alguém foi até o iogue e encontrou o objeto no chão, perto de onde a rainha havia se prostrado. Quando o rei soube, ficou extremamente zangado e ordenou que o iogue fosse executado. Aquela severa ordem, no entanto, não foi cumprida, pois o príncipe subornou os homens e fugiu do país. Mas soube que o segundo conselho do papel era verdadeiro.

Vestindo suas próprias roupas novamente, um dia o príncipe estava caminhando quando viu um oleiro chorando e rindo, alternadamente, com sua esposa e filhos.

– Ei – disse ele. – O que aconteceu? Se ri, por que chora? Se chora, por que ri?

– Não me incomode – respondeu o oleiro. – O que lhe importa?

– Perdoe-me – disse o príncipe. – Mas eu gostaria de saber o motivo.

– O motivo é o seguinte – disse o oleiro. – O rei deste país é obrigado a casar sua filha todos os dias, porque todos os maridos morrem na primeira noite que passam com ela. Quase todos os jovens da região morreram, e nosso filho logo será convocado. Rimos do absurdo da situação: o filho de um oleiro casando-se com uma princesa. E choramos pelas terríveis consequências do casamento. O que podemos fazer?

– É mesmo um assunto para rir e chorar. Mas não chorem mais – disse o príncipe. – Trocarei de lugar com seu filho e me casarei com a princesa. Apenas me deem vestes adequadas e me preparem para a ocasião.

Então, o oleiro lhe deu belas roupas e acessórios, e o príncipe foi ao palácio. À noite, foi conduzido aos aposentos da princesa.

"A temida hora!," pensou ele. "Será que morrerei como todos os jovens que vieram antes de mim?" Ele segurou a espada com firmeza e se deitou na cama com a intenção de passar a noite toda acordado para ver o que aconteceria. No meio da noite, viu duas shahmarans saindo das narinas da princesa. Elas foram lentamente em sua direção com a intenção de matá-lo, como fizeram com os outros que haviam chegado antes dele: mas o príncipe estava preparado. Empunhou a espada e, quando as cobras chegaram à sua cama, acertou-as e as matou. Pela manhã, o rei, como de costume, foi averiguar e ficou surpreso ao ouvir sua filha e o príncipe conversando alegremente.

"Certamente", pensou ele, "este homem deve ser seu marido, pois apenas ele pode viver com ela".

– De onde vem? Quem é você? – perguntou o rei, entrando no quarto.

– Ó, majestade – respondeu o príncipe. – Sou filho de um rei.

Ao ouvir aquilo, o rei ficou muito feliz, propôs que o príncipe permanecesse no palácio e o indicou como sucessor do trono. Ele viveu ali por mais de um ano e então pediu permissão para visitar seu próprio país, que lhe foi concedida. O rei lhe deu elefantes, cavalos, joias e muito dinheiro para as despesas da viagem e como presentes para seu pai, e o príncipe partiu.

No caminho, teve que passar pelo país que pertencia a seu cunhado, a quem já havíamos mencionado. A notícia de sua chegada foi parar nos ouvidos do rei, que submissamente foi lhe prestar deferência. Ele humildemente suplicou que ficasse em seu palácio e que aceitasse sua hospitalidade. Quando estava no palácio, o príncipe encontrou sua irmã, que o recebeu com sorriso e beijos. Ao partir, contou como ela o marido o haviam tratado na primeira visita e como ele havia escapado. Então lhes presenteou com dois elefantes, dois belos cavalos, quinze soldados e um milhão de rupias em joias.

Em seguida, foi para casa e informou seu pai e sua mãe de sua chegada. Infelizmente, seus pais tinham ficado cegos de tanto chorar a perda do filho.

– Deixe-no entrar – disse o rei – e colocar as mãos sobre nossos olhos, assim voltaremos a enxergar.

O príncipe entrou e foi recebido com muito carinho pelos velhos pais. Colocou as mãos sobre os olhos deles, e eles voltaram a ver.

Então, ele contou ao pai tudo o que havia lhe acontecido e como tinha se salvado várias vezes seguindo os conselhos que comprara do brâmane. Logo, o rei expressou seu arrependimento por tê-lo expulsado do reino e tudo voltou a ser alegria e paz.

A serpente que dá ouro

Em certo lugar, vivia um brâmane chamado Haridatta. Era fazendeiro, mas seu trabalho lhe dava pouco retorno financeiro. Um dia, no fim da jornada, dominado pelo calor, o brâmane se deitou sob a sombra de uma árvore para tirar uma soneca. De repente, viu uma naja saindo de um formigueiro próximo.

Ele pensou consigo mesmo: "Certamente é a divindade protetora do campo e nunca a adorei. Por isso meu cultivo não avança. Prestarei meus respeitos a ela agora mesmo".

Quando se decidiu, colocou um pouco de leite em uma tigela, foi até o formigueiro e disse em voz alta:

– Ó, Guardião deste Campo! Todo esse tempo e nunca soube que aqui habitava. Por essa razão, ainda não lhe prestei meus respeitos; por favor, perdoe-me.

Ele deixou ali o leite e foi para casa. Na manhã seguinte, foi olhar e viu um dinar de ouro na tigela. Daquela vez em diante, todos os dias acontecia a mesma coisa: ele dava leite à serpente e encontrava um dinar de ouro.

Um dia, o brâmane teve que ir à aldeia e pediu que seu filho levasse o leite ao formigueiro. O filho deixou o leite lá e voltou para casa. No dia seguinte, foi ao local e encontrou um dinar, então pensou consigo mesmo: "Este formigueiro deve estar cheio de dinares de ouro; matarei a serpente e pegarei todos para mim". No dia seguinte, enquanto dava o leite à serpente, o filho do brâmane a acertou na cabeça com um porrete. Mas o destino quis que a serpente escapasse da morte e, em um ataque de raiva, ela picou o filho do brâmane com suas presas afiadas. Ele caiu morto no mesmo instante. Sua família preparou uma pira funerária não muito longe do campo e o cremou.

Dois dias depois, seu pai voltou. Ao saber do destino do filho, lamentou-se e sofreu muito. Mas depois de um tempo, pegou a tigela de leite, foi ao formigueiro e enalteceu a serpente em voz alta. Depois de muito, muito tempo, a serpente apareceu, mas apenas colocou a cabeça para fora da abertura do formigueiro e falou para o brâmane:

– É a ganância que o traz aqui e o faz esquecer até mesmo da morte de seu filho. A partir de agora, é impossível haver qualquer amizade entre nós. Seu filho me atacou munido da ignorância da juventude e minha picada o levou à morte. Como posso esquecer o golpe com o porrete? E como você pode esquecer a dor e o sofrimento da perda de seu filho? – Dito isso, ela entregou ao brâmane uma pérola valiosa e desapareceu. Mas antes de ir embora, disse: – Não volte mais.

O brâmane pegou a pérola e voltou para casa, maldizendo a insensatez do filho.

O filho de sete rainhas

Era uma vez um rei que tinha sete rainhas, mas nenhum filho. Isso era motivo de grande tristeza para ele, principalmente quando se lembrava que quando morresse não haveria herdeiro para o reino.

Certo dia, porém, um velho faquir foi até o rei e disse:

– Suas preces foram ouvidas, seu desejo será atendido e uma de suas sete rainhas gerará um filho.

A alegria do rei diante daquela promessa não tinha limites. Ele deu ordens para que fossem providenciadas as celebrações apropriadas ao iminente evento em todo o reino.

Enquanto isso, as sete rainhas viviam com luxo e conforto em um palácio magnífico, servidas por centenas de criadas e alimentadas até a saciedade com doces e confeitos.

O rei gostava muito de caçar e, um dia, antes de sair, as sete rainhas lhe enviaram a seguinte mensagem: "Caro senhor, por favor, não vá hoje caçar ao Norte, pois sonhamos coisas ruins e tememos que algo de terrível aconteça".

O rei, para não deixar as esposas preocupadas, prometeu considerar seus desejos e partiu para o Sul. Porém, embora persistisse, não teve sorte na caçada. Também não teve sucesso no Leste nem no Oeste, de modo que, sendo um entusiasta da caça e estando decidido a não voltar para casa de mãos vazias, esqueceu completamente da promessa e seguiu para o Norte. Ali, também não teve sucesso a princípio, mas tão logo resolveu desistir, uma corça branca com chifres dourados e cascos prateados passou rapidamente por ele e entrou em um bosque. Foi tão ligeira que o rei mal a viu. Todavia, um desejo ardente de capturar e possuir a bela e estranha criatura tomou conta de seu peito. Imediatamente, ele ordenou que seus criados formassem um círculo ao redor da corça e a cercassem. Depois, gradualmente estreitando o círculo, ele avançou até poder ver claramente a corça branca ofegante no meio. Ele foi chegando cada vez mais perto até que, quando pensou que agarraria a bela e estranha criatura, ela deu um grande salto, pulando sobre a cabeça do rei e fugiu para as montanhas. Esquecendo-se de todo o resto, o rei esporeou seu cavalo e a perseguiu a toda velocidade. Ele galopou e galopou, deixando seu séquito bem para trás, mantendo a corça branca em vista, sem parar nem por um instante, até que, vendo-se em um desfiladeiro estreito sem saída, puxou as rédeas para o cavalo parar. Diante dele havia uma cabana miserável. Cansado depois da longa e malograda busca, ele entrou para pedir um pouco de água. Na cabana, uma anciã sentada diante de uma roda de fiar atendeu ao pedido, chamando sua filha. Logo, saiu de um quarto uma donzela tão adorável e charmosa, de pele tão branca e cabelos tão dourados, que o rei ficou perplexo ao ver tamanha beleza dentro de uma cabana tão pobre.

Ela levou a vasilha de água aos lábios do rei e, enquanto ele bebia, olhou nos olhos dela e logo ficou claro que a garota era a corça branca de chifres dourados e patas prateadas que ele havia perseguido.

Sua beleza o enfeitiçou, então ele caiu de joelhos, implorando que ela retornasse com ele para o palácio como sua noiva. Mas ela apenas riu, dizendo que sete rainhas eram esposas o bastante, até mesmo para um rei. No entanto, ele não aceitou a recusa e implorou que tivesse piedade dele, prometendo-lhe tudo o que ela desejasse.

– Dê-me os olhos de suas sete rainhas e talvez eu acredite na veracidade do que diz – respondeu ela.

O rei estava tão afetado pelo glamour da beleza mágica da corça branca que foi para casa de imediato, mandou arrancar os olhos de suas sete rainhas e, depois de jogar as pobres criaturas cegas em uma masmorra fétida, da qual não podiam escapar, partiu mais uma vez para a cabana no desfiladeiro, carregando consigo sua horrível oferenda. Mas a corça branca apenas riu com crueldade quando viu os catorze olhos e, amarrando-os como um colar, colocou-os em volta do pescoço da mãe, dizendo:

– Use isso, mãezinha, como lembrança enquanto eu estiver no palácio do rei.

Então ela voltou como noiva do monarca enfeitiçado que lhe deu as ricas vestes e joias das sete rainhas para usar, o palácio das sete rainhas para morar e ordenou que as criadas das sete rainhas lhe servissem, de modo que realmente tivesse tudo o que até mesmo uma bruxa poderia desejar.

Pouco tempo depois que as sete desafortunadas rainhas tiveram seus olhos arrancados e foram encarceradas, um bebê nasceu da mais jovem delas. Era um belo menino, mas as outras rainhas ficaram com muita inveja que a mais nova delas tivesse tido tanta sorte. Mas, embora a princípio tivessem desgostado do garoto, ele logo provou ter tanta valia que elas rapidamente passaram a vê-lo como um filho também. Quase tão rápido quanto apreendeu a andar, ele começou a arranhar a parede de barro da masmorra e, em um curto período de tempo já tinha feito um buraco grande o suficiente para que pudesse atravessar. Ele desapareceu por aquela passagem e voltou em uma hora carregando doces, que dividiu igualmente entre as sete rainhas cegas.

Quando cresceu, alargou o buraco e escapava duas ou três vezes ao dia para brincar com os pequenos nobres da cidade. Ninguém sabia quem era aquele menininho, mas todos gostavam dele. Ele conhecia muitos truques engraçados e brincadeiras. Era tão alegre e esperto que sempre ganhava pães, frutas secas ou doces e levava tudo para suas sete mães, como gostava de chamar as sete rainhas cegas que, com sua ajuda, continuavam vivas na masmorra enquanto o mundo todo achava que já tinham morrido de fome havia muitos anos.

Quando se tornou um rapaz, ele um dia pegou seu arco e flecha e saiu para caçar. Passando por acaso pelo palácio em que vivia a corça branca com muito esplendor e conforto, ele viu alguns pombos voando ao redor das torres de mármore branco. Com muito boa mira, acertou um em cheio, que caiu bem em frente à janela em que a rainha branca estava. Ela se levantou para ver o que era e olhou para fora. Só de ver o belo jovem que segurava o arco e flecha, soube, por feitiçaria, que se tratava do filho do rei.

Quase morreu de raiva e despeito, determinada a destruir o rapaz o quanto antes. Mandou que uma criada fosse chamá-lo e perguntou se ele venderia a ela o pombo que tinha acabado de abater.

– Não – respondeu o jovem robusto. – O pombo é para minhas sete mães cegas, que vivem em uma masmorra fétida e que morrerão se eu não voltar com alimento.

– Pobrezinhas! – gritou a astuciosa bruxa branca. – Não gostaria de lhes devolver os olhos? Entregue o pombo, meu caro e prometo lhe mostrar onde encontrá-los.

O rapaz ficou extremamente feliz e cedeu o pombo de imediato. Com isso, a rainha branca disse para ele procurar a mãe dela e pedir os olhos que usava como colar.

– Ela não hesitará em lhe entregar os olhos – disse a rainha cruel. – Se mostrar isto a ela, onde escrevi o que quero que seja feito.

Assim, ela entregou ao rapaz um caco de louça com a seguinte inscrição: "Mate o portador de imediato e espalhe seu sangue como se fosse água!"

Como o filho de sete rainhas não sabia ler, pegou a mensagem fatal com alegria e partiu para encontrar a mãe da rainha branca.

Enquanto viajava, ele passou por uma cidadezinha em que todos os habitantes pareciam tão tristes que ele teve que perguntar qual era o problema. Disseram-lhe que estavam tristes porque a única filha do rei não queria se casar, então, quando seu pai morresse, não haveria herdeiro para o trono. Temiam que ela estivesse louca, pois, embora os jovens mais belos da cidade lhe tivessem sido apresentados, ela declarara que só se casaria com um que fosse filho de sete mães. E quem já tinha ouvido falar de uma coisa como essa? O rei, desesperado, havia ordenado que todo homem que passasse pelos portões da cidade fosse apresentado à princesa. Então, por mais que estivesse impaciente por causa da grande pressa para encontrar os olhos de suas mães, ele foi arrastado para a sala de audiências.

Assim que a princesa colocou os olhos nele, ficou corada e disse ao rei:

– Meu caro pai, é este que escolho!

Nunca se viu tanto júbilo diante daquelas poucas palavras.

Os aldeãos ficaram loucos de alegria, mas o filho de sete rainhas disse que não se casaria com a princesa a menos que o deixassem primeiro recuperar os olhos de sua mãe. Quando a bela noiva ouviu a história, pediu para ver o caco de louça, pois era culta e inteligente. Vendo aquelas palavras traiçoeiras, não disse nada, mas pegando um caco de louça de formato similar, escreveu as seguintes palavras: "Cuide deste rapaz e realize todos os seus desejos". Então devolveu o objeto ao filho de sete rainhas que, sem desconfiar de nada, partiu em sua jornada.

Ele logo chegou à cabana no desfiladeiro onde a mãe da bruxa branca, uma criatura velha e horrorosa, resmungou terrivelmente ao ler a mensagem, principalmente quando o rapaz pediu o colar de olhos. Entretanto, ela tirou o colar e entregou a ele, dizendo:

– Há apenas treze agora, pois perdi um na semana passada.

O rapaz, contudo, ficou feliz em recuperar os olhos e correu para casa o mais rápido possível para encontrar suas sete mães. Ele entregou dois olhos a cada uma das seis rainhas mais velhas e apenas um à mais nova.

– Cara mãezinha, sempre serei seu outro olho! – disse ele.

Depois, ele partiu para se casar com a princesa, como havia prometido, mas ao passar pelo palácio da rainha branca, viu alguns pombos no telhado. Sacando o arco, acertou um que, ao cair, passou em frente à janela. A corça branca olhou para fora e lá estava o filho do rei, vivo e com saúde.

Ela gritou com ódio e repulsa, e, mandando chamar o rapaz, perguntou-lhe como ele havia voltado tão rápido. Quando ficou sabendo que ele tinha recuperado os treze olhos e os devolvidos às sete rainhas cegas, mal conseguiu conter a raiva. Ainda assim, fingiu estar encantada com seu sucesso e disse que, se ele lhe desse o pombo, ela o recompensaria com a maravilhosa vaca do iogue, cujo leite fluía o dia todo e criava lagos do tamanho de reinos. O rapaz não hesitou em entregar o pombo. Assim, como antes, ela pediu que ele fosse pedir a vaca à sua mãe e lhe deu um caco de louça em que estava escrito: "Mate este rapaz sem falta e espalhe seu sangue como se fosse água"!

Mas, no caminho, o filho de sete rainhas parou para ver a princesa e explicar o motivo de seu atraso. Ela, após ler a mensagem no caco de louça, entregou-lhe outro no lugar. Assim, quando ele chegou à cabana da velha bruxa e lhe pediu a vaca do iogue, ela não pôde se negar a dizer ao rapaz como encontrá-la. Pediu que ele não tivesse medo dos dezoito mil demônios que vigiavam o tesouro e que fosse embora antes que ela ficasse zangada demais com as tolices da filha, que estava abrindo mão de tantas coisas boas.

O rapaz fez o que a anciã havia dito. Avançou até chegar a um lago branco como leite, protegido por dezoito mil demônios. Eram realmente assustadores, mas, reunindo coragem, ele assobiou uma canção enquanto andava no meio deles, sem olhar nem para a esquerda nem para a direita. Pouco depois, encontrou a vaca grande, branca e bela que o próprio iogue, rei de todos os demônios, ordenava dia e noite para encher o lago de leite.

O iogue, vendo o rapaz, gritou furiosamente:

– O que quer aqui?

O rapaz respondeu, de acordo com as instruções da velha bruxa:

– Quero sua pele, pois o rei Indra está fazendo um novo tambor e disse que sua pele é bem resistente.

O iogue começou a tremer (pois nenhum gênio ou iogue ousa desobedecer às ordens do rei Indra) e, caindo aos pés do rapaz, disse:

– Se poupar minha vida, eu lhe dou tudo o que tenho, até mesmo minha bela vaca branca!

O filho de sete rainhas, após fingir certa hesitação, concordou, dizendo que não seria tão difícil encontrar uma pele resistente como a do iogue em outro lugar. Assim, conduzindo a vaca, partiu para casa. As sete rainhas ficaram exultantes de possuir aquele animal tão maravilhoso e, ainda que passassem dia e noite fazendo coalhadas e queijos, além de vender o leite a confeiteiros, não chegavam a usar nem metade do que a vaca produzia, ficando mais ricas a cada dia.

Vendo-as tão bem, o filho de sete rainhas partiu com o coração tranquilo para se casar com a princesa, mas, ao passar pelo palácio da corça branca, não conseguiu resistir e flechou alguns pombos que arrulhavam no parapeito. Um deles caiu morto bem embaixo da janela onde a rainha branca estava. Olhando para fora, ela viu o rapaz são e salvo e ficou ainda mais branca de raiva e desgosto.

Chamou-o para perguntar como tinha voltado tão rápido e, quando ficou sabendo que sua mãe o havia recebido muito bem, quase teve um ataque. No entanto, disfarçou seus sentimentos da melhor forma possível e, com um sorriso doce, disse que estava feliz por ter sido capaz de cumprir sua promessa e que, se ele lhe desse aquele terceiro pombo, ela faria ainda mais, daria de presente a ele um ramo de arroz que gera mil grãos em uma noite.

O rapaz ficou, é claro, empolgado com a ideia e, cedendo o pombo, partiu em viagem, munido, como antes, de um caco de louça em que estava escrito: "Não falhe desta vez. Mate o rapaz e espalhe seu sangue como se fosse água"!

Mas quando ele parou para visitar sua princesa, apenas para que não ficasse ansiosa com sua demora, ela pediu para ver o caco de louça, como de costume, e o substituiu por outro em que estava escrito: "Mais uma vez, dê ao rapaz tudo o que ele pedir, pois o sangue dele é como se fosse o seu próprio sangue"!

Quando a velha bruxa viu aquilo e soube que o rapaz queria o ramo que dá um milhão de grãos de arroz em uma noite, ficou furiosa. Porém, como tinha muito medo da filha, controlou-se e pediu que o rapaz procurasse o campo protegido por dezoito milhões de demônios, alertando-o que não olhasse para trás de jeito nenhum depois de ter arrancado o ramo de arroz mais alto que crescia no centro.

O filho de sete rainhas partiu e logo chegou ao campo vigiado por dezoito milhões de demônios, onde crescia o ramo mágico de arroz. Ele caminhou com coragem, sem olhar para a direita nem para a esquerda, até chegar ao centro e arrancar o ramo mais alto. Mas, ao se virar para voltar para casa, mil vozes doces elevaram-se atrás dele chamando-o com entonações agradáveis:

– Arranque-me também! Ah, por favor, arranque-me também!

O rapaz olhou para trás e não sobrou nada dele além de um monte de cinzas!

Passou-se um tempo e o rapaz não retornou. A velha bruxa ficou inquieta, lembrando-se da mensagem: "O sangue dele é como se fosse o seu próprio sangue". Então saiu para ver o que tinha acontecido.

Logo chegou ao monte de cinzas e, sabendo do que se tratava, pegou um pouco de água e, transformando as cinzas em uma pasta, moldou-a na forma de um homem. Então, colocando uma gota de seu sangue na boca dele, soprou, e instantaneamente o filho de sete rainhas levantou-se e ficou bem como antes.

– Não desobedeça mais às minhas ordens! – resmungou a velha bruxa. – Ou da próxima vez eu o deixarei sozinho. Agora, vá embora antes que eu me arrependa de minha gentileza!

O filho de sete rainhas retornou alegremente a suas sete mães que, com o auxílio do ramo mágico de arroz, logo se tornaram as pessoas mais ricas do reino. Então celebraram o casamento de seu filho com a inteligente princesa com todos os luxos imagináveis. Mas a noiva era tão esperta que não descansaria até que o pai do noivo descobrisse sua identidade e punisse a perversa bruxa branca. Ela fez seu marido construir um palácio exatamente igual aquele em que haviam vivido as sete rainhas, onde agora vivia a bruxa branca com esplendor. Quando estava tudo pronto, pediu que o marido desse uma grande festa para o rei. O rei tinha ouvido falar muito do misterioso filho de sete rainhas e de sua maravilhosa riqueza, então aceitou o convite com satisfação. Mas quando entrou no palácio, ficou perplexo ao ver que era uma réplica perfeita do seu! E quando seu anfitrião, em trajes luxuosos, conduziu-o ao salão onde, em tronos reais, estavam as sete rainhas, vestidas como da última vez em que ele as vira, o rei ficou sem palavras de tanta surpresa. Então a princesa se prostrou aos seus pés e lhe contou toda a história. O rei acordou do encantamento e ficou tão furioso com a corça branca que o havia enfeitiçado por tanto tempo que não conseguiu se conter. Ele a condenou à morte e o túmulo dela foi destruído. Depois disso, as sete rainhas voltaram a seu esplêndido palácio e todos viveram felizes.

Uma lição para os reis

Em um tempo longínquo, quando Brahmadatta reinava em Benares, o futuro Buda retornou à vida como seu filho e herdeiro. E, quando chegou o dia de escolherem seu nome, chamaram-no de príncipe Brahmadatta. Ele cresceu e, quando completou 16 anos, foi para Taxila educar-se em todas as artes. Após a morte do pai, ascendeu ao trono e governou o reino com justiça e honestidade. Seus julgamentos eram desprovidos de imparcialidade, ódio, ignorância ou medo. Como ele reinava com justiça, com justiça seus ministros também administravam a lei. Os processos eram decididos com justiça, e portanto, ninguém apresentava falsos casos. Quando eles cessaram, a agitação e o tumulto do litígio também cessaram na corte real. Embora os juízes passassem o dia todo no tribunal, iam embora sem que ninguém exigisse justiça. Dessa forma, o tribunal teria que ser fechado!

Então, o futuro Buda pensou: "Não é possível que ninguém peça por justiça pela honradez de meu reinado. Não há mais agitação, e o tribunal terá que ser fechado. Devo, portanto, analisar meus próprios erros e, se encontrar alguma falha em mim, eliminá-la e praticar apenas a virtude".

A partir de então, ele procurou alguém que lhe apontasse suas falhas, mas entre aqueles que o cercavam, não encontrou ninguém disposto a dizer. Ouviu apenas elogios.

Assim, pensou: "É por medo de mim que esses homens só me dizem coisas boas e nada de ruim". Ele então procurou pessoas de fora do palácio. Não encontrando ninguém que apontasse suas falhas, procurou entre os viviam fora da cidade, mais afastados, perto dos quatro portões. Ainda sem encontrar ninguém, e ouvindo apenas elogios, ele decidiu procurar por todo o país.

Entregou o reino aos ministros e subiu na carruagem. Acompanhado apenas do cocheiro, ele deixou a cidade disfarçado. Percorrendo toda a região, não encontrou ninguém que apontasse seus defeitos, apenas suas virtudes, então partiu da fronteira mais distante e pegou a estrada principal para retornar à cidade.

Naquela época, o rei de Kosala, Mallika, igualmente governava seu reino com justiça, quando procurou algum defeito em si mesmo, também não encontrou ninguém que os apontasse no palácio, apenas ouviu relatos de sua própria virtude! Procurando pelas regiões do país, também chegou àquele mesmo ponto. E os dois se encontraram em um trecho escarpado e estreito da estrada, onde não havia espaço para uma carruagem desviar da outra.

O cocheiro do rei Mallika disse ao cocheiro do rei de Benares:

– Tire sua carruagem do caminho!

Mas ele respondeu:

– Tire sua carruagem do caminho, ó cocheiro! Levo comigo o senhor do reino de Benares, o grande rei Brahmadatta.

O outro contestou:

– Nesta carruagem, ó cocheiro, levo comigo o senhor do reino de Kosala, o grande rei Mallika. Tire sua carruagem do caminho e abra espaço para a carruagem de nosso rei!

O cocheiro do rei de Benares refletiu: "Estão dizendo que o outro também é um rei! O que faço agora"? Depois de alguma consideração, pensou consigo: "Conheço um jeito. Descobrirei sua idade, assim a carruagem do mais novo dará espaço para a do mais velho".

Ao chegar a essa conclusão, perguntou ao outro cocheiro qual era a idade do rei de Kosala, porém descobriu que ambos tinham a mesma idade. Depois perguntou qual era a extensão de seu reino, sobre seu exército, sua riqueza, seu renome e sobre o país em que vivia, sua casta, tribo e família. E descobriu que ambos eram senhores de um reino de trezentas léguas. E a respeito de exército, riqueza, renome, país em que viviam, casta, tribo e família, estavam em pé de igualdade!

Ele então pensou: "Abrirei caminho para o mais justo". E perguntou:

– O seu rei é justo?

Então o cocheiro do rei de Kosala, proclamando a maldade de seu rei como se fosse bondade, recitou a primeira estrofe:

Mallika derrota o forte pela força,
O moderado, com moderação;
O bom, conquista com bondade,
E o perverso, com perversidade.
Esta é a natureza deste rei!
Saia do caminho, ó cocheiro!

Mas o cocheiro do rei de Benares lhe perguntou:

– Bem, já listou todas as virtudes de seu rei?

– Sim – disse o outro.

– Se são essas suas *virtudes*, quais são seus defeitos? – perguntou.

O outro disse:

– Bem, também podem ser defeitos, se preferir! Mas, diga, que tipo de bondade possui seu rei?

Então o cocheiro do rei de Benares pediu que ele prestasse atenção e recitou a segunda estrofe:

O furioso, ele conquista com serenidade,
E com bondade o perverso;
O mesquinho conquista com presentes,
E com verdades, o mentiroso.
Esta é a natureza deste rei!
Saia do caminho, ó cocheiro!

Logo depois que ele falou, tanto o rei Mallika quanto seu cocheiro desceram da carruagem. E pegaram seus cavalos e abriram espaço para o rei de Benares passar.

A soberba precede a queda

Em certa vila, viviam dez comerciantes de tecidos que sempre andavam juntos. Uma vez, viajaram para longe e estavam voltando para casa com uma grande quantia de dinheiro, obtida com a venda da mercadoria. Perto da aldeia em que moravam, havia uma densa floresta à qual chegaram uma manhã bem cedo. Nela, viviam três notórios ladrões, de quem os comerciantes nunca tinham ouvido falar, e enquanto ainda a atravessavam, os ladrões apareceram diante deles empunhando espadas e porretes e exigiram que entregassem tudo o que tinham. Os comerciantes estavam desarmados, então embora estivessem em maior número, tiveram que se submeter aos ladrões, que tiraram tudo deles, inclusive a roupa do corpo, e os deixaram apenas com uma pequena tanga de um palmo de altura e um cúbito de largura.

A ideia de terem vencido dez homens e pilhado todos os seus pertences subiu à cabeça dos ladrões. Eles se sentaram como três monarcas diante dos homens que haviam roubado e exigiram que dançassem para eles antes de voltarem para casa. Os comerciantes lamentaram seu destino. Perderam tudo o que tinham, à exceção da tanga, e os ladrões, não satisfeitos, ainda pediram que dançassem.

Um dos dez comerciantes era muito esperto. Refletiu sobre o desastre que havia acontecido com ele e com os amigos, sobre a dança que teriam que realizar e sobre a forma suntuosa com que os ladrões estavam sentados na grama. Ao mesmo tempo, observou que eles haviam deixado as armas no chão, certos de que haviam intimidado completamente os comerciantes que já começavam a dançar. Então ele tomou à frente na dança. Como em tais ocasiões, o líder sempre entoa uma canção enquanto os outros marcam o ritmo com os pés e as mãos, ele começou a cantar:

> *Nós somos* zed *homens,*
> *Eles são* sert *homens:*
> *Se cada um dos* zed *homens,*
> *Cercar* mu *homem,*
> Mu *homem ainda resta.*
> Ta, tai, tom, tadingan.

Os ladrões não eram cultos e acharam que o líder estava apenas cantando uma música normal. E estava, de certo modo, pois o líder começou a uma certa distância e cantou a música duas vezes antes que ele e seus companheiros começassem a se aproximar dos ladrões. Eles haviam entendido o significado, porque todos eram comerciantes profissionais.

Quando dois comerciantes discutem o preço de um artigo na presença de um comprador, usam uma linguagem em código.

– Qual o preço desse tecido? – pergunta um comerciante ao outro.

– Zed rupias – responde o outro, querendo dizer "dez" rúpias.

Assim, não há possibilidade de o comprador saber o significado a menos que conheça a linguagem do comércio. Pelas regras dessa linguagem secreta, sêrt significa "três", zed significa "dez" e mu significa "um". Dessa forma, o líder, com sua música, quis indicar a seus colegas comerciantes que eles eram dez homens e os ladrões apenas três, e que se cada três deles atacassem um dos ladrões, nove os segurariam, enquanto o décimo amarraria as mãos e os pés dos ladrões.

Os três ladrões, orgulhosos de sua vitória, sem entender o significado da música e a intenção dos dançarinos, estavam orgulhosos mascando folhas de bétel e tabaco. Enquanto isso, a música era cantada pela terceira vez. *Tâ tai tôm* havia saído dos lábios do cantor, e, antes de dizer *tadingan*, os comerciantes se separaram em grupos de três, cada grupo atacando um ladrão. O homem que restou, o próprio líder, cortou uma peça grande de tecido em faixas longas e estreitas, de seis cúbitos de comprimento, e amarrou as mãos e os pés dos ladrões. Eles foram totalmente humilhados e rolaram no chão como três sacos de arroz.

Os dez comerciantes recuperaram toda a mercadoria e armaram-se com as espadas e porretes dos inimigos. Quando chegaram à aldeia, divertiram amigos e parentes com relatos da aventura.

Rajá Rasalu

Era uma vez, um rajá cujo nome era Salabhan. Sua rainha se chamava Lona e, apesar do tanto que chorava e rezava em diversos santuários, nunca havia tido um filho para alegrar seus olhos. Depois de muito tempo, no entanto, um filho lhe foi prometido.

A rainha Lona voltou ao palácio e quando se aproximou a hora do nascimento do filho prometido, perguntou a três iogues que mendigavam em seu portão qual seria o destino da criança. O mais novo deles respondeu:

– Ó, rainha! A criança será um menino e se tornará um grande homem. Mas, durante doze anos, não deve olhar o rosto dele. Se a senhora ou o pai do menino virem seu rosto antes dos doze anos, morrerão! Eis o que deve fazer: assim que a criança nascer, deve mandá-la a um porão subterrâneo e nunca a deixar ver a luz do dia, durante doze anos. Passado esse tempo, ele deve sair, banhar-se no rio, vestir roupas novas e visitá-la. Seu nome deve ser rajá Rasalu e ele será conhecido por toda parte.

Assim, quando o jovem príncipe veio ao mundo, seus pais o esconderam em um palácio subterrâneo, com amas e criados, e tudo mais que um rei poderia desejar. Com ele, mandaram um jovem potro, nascido no mesmo dia, e espada, lança e escudo para o dia em que rajá Rasalu saísse para o mundo.

E lá viveu a criança, brincando com o potro e conversando com seu papagaio, enquanto as amas lhe ensinavam tudo o que o filho de um rei precisaria saber.

O jovem Rasalu viveu longe da luz do dia por onze longos anos, ficando alto e forte, mas ainda satisfeito em brincar apenas com o potro e conversar com o papagaio. Porém, quando se iniciou o décimo segundo ano, o coração do rapaz encheu-se de desejo por mudanças. Ele amava ouvir os sons da vida do mundo exterior que chegavam a ele em seu palácio-prisão.

– Devo sair para ver de onde vêm as vozes! – disse ele. E quando as amas lhe disseram que não deveria sair por mais um ano, ele apenas gargalhou, dizendo: – De modo algum! Não ficarei mais tempo aqui!

Então ele selou seu cavalo árabe Bhaunr, vestiu uma armadura e saiu cavalgando pelo mundo; mas atentando para o que lhe haviam dito várias vezes suas amas. Quando chegou ao rio, ele desceu do cavalo, entrou na água, banhou-se e lavou suas roupas.

Assim, com trajes limpos, um belo rosto e um coração valente, ele saiu a cavalo até encontrar a cidade de seu pai. Lá, sentou-se para descansar um pouco perto de um poço, de onde as mulheres tiravam água em jarras de barro. Quando passavam por ele, com as jarras cheias apoiadas na cabeça, o alegre e jovial príncipe jogava pedras nos recipientes de barro, quebrando todos eles. Ensopadas, as mulheres corriam para o palácio chorando e se lamentando para reclamar ao rei que um jovem príncipe de armadura brilhante, com um papagaio no pulso e um belo corcel estava perto do poço, quebrando suas jarras.

Assim que o rajá Salabhan ficou sabendo daquilo, logo imaginou que se tratava do príncipe Rasalu, que havia aparecido antes da hora. Atento às palavras do iogue, de que morreria se visse o rosto do filho antes de se passarem doze anos, não ousou mandar seus guardas capturarem o infrator para ser julgado. Ele pediu que as mulheres se acalmassem e usassem jarras de ferro e latão, cedendo algumas do palácio para aquelas que não tivessem nenhuma.

Mas quando o príncipe Rasalu viu as mulheres retornando ao poço com jarras de ferro e latão, riu sozinho e preparou seu poderoso arco, até que as flechas pontiagudas furassem os recipientes de metal como se fossem de barro.

Ainda assim, o rei não mandou ninguém atrás dele, então ele montou em seu corcel e partiu, com o orgulho de sua juventude e força para o palácio. Entrou no salão de audiências, onde o pai, trêmulo, se encontrava e o saudou com uma reverência. Mas o rajá Salabhan, temendo por sua vida, virou-lhe as costas rapidamente e não disse nada em resposta.

Do outro lado do salão, o príncipe Rasalu disse com desdém:

> *Vim para saudar o rei e não para o machucar!*
> *O que lhe fiz para que as costas me desse?*
> *Cetro e império não são de meu interesse.*
> *Um prêmio mais importante vim aqui buscar!*

Ele foi embora, cheio de amargura e raiva. Mas, ao passar sob as janelas do palácio, ouviu a mãe chorando e o som amoleceu seu coração, de modo que a ira arrefeceu e uma grande solidão recaiu sobre ele, pois era desprezado por pai e mãe. Assim, chorou com muito pesar.

> *Ah, coração de sofrimento constante*
> *Só lágrimas por seu filho derrama?*
> *Se és minha mãe, por favor, me chama,*
> *Pois minha vida se inicia nesse instante!*

E a rainha Lona respondeu em prantos:

> *Sim! Sou sua mãe, isso lhe juro,*
> *Ouça minhas palavras, embora eu chore,*
> *Vá ganhar o mundo, não se demore.*
> *Mas mantenha seu coração puro!*

Assim o rajá Rasalu se sentiu consolado e começou a se preparar para seu futuro. Levou o cavalo Bhaunr e o papagaio que viviam com ele desde seu nascimento. Eram, assim, boas companhias.

A rainha Lona, quando os viu partir, ficou olhando pela janela até não passarem de uma nuvem de poeira no horizonte. Então, apoiou a cabeça nas mãos e chorou, dizendo:

> *Ó, filho! A quem com os olhos nunca contemplei*
> *Deixe que as nuvens de sua ida ascendam,*
> *Ofusquem o Sol, e o dia obscureçam*
> *Pois ser mãe, sem meu filho, eu não sei.*

Rasalu havia partido para jogar chaupar com o rei Sarkap. No caminho, veio uma forte tempestade com muitos raios e trovões, e ele teve que procurar abrigo, encontrando apenas um antigo cemitério, onde havia um cadáver sem cabeça caído no chão. Ele se sentia tão solitário que até o cadáver lhe parecia companhia, e Rasalu, sentando-se ao lado dele, disse:

> *Não há um olho aberto. Nem longe, nem perto,*
> *Só vejo este corpo depois da despedida.*
> *Se ao menos Deus lhe devolvesse a vida,*
> *Não estaria mais só neste campo deserto.*

E imediatamente o cadáver sem cabeça se levantou e sentou ao lado do rajá Rasalu.

O jovem, nada espantado, disse a ele:

> *A tempestade é feroz, não parece parar,*
> *Vendo a chuva cair, me pergunto:*
> *O que aflige seu repouso eterno, defunto?*
> *E não lhe deixa assim descansar?*

Então o cadáver sem cabeça respondeu:

Eu antes era assim, sereno.
Como um rei, usava o turbante de lado.
De cabeça erguida e semblante ameno,
Por quase nada me sentia afetado.
Contra os inimigos, o embate era sério,
Vivia a vida despreocupado.
Agora, feito o passamento,
Dos pecados, carrego o tormento,
Me perseguem até no cemitério!

E assim passou a noite, escura e sombria, enquanto Rasalu conversava com o cadáver sem cabeça no cemitério. Amanheceu, e Rasalu disse que precisava continuar sua viagem. O cadáver sem cabeça perguntou para onde ele estava indo, e quando ele respondeu que ia "jogar chaupar com o rei Sarkap", o cadáver implorou que desistisse da ideia.

– Sou irmão do rei Sarkap e conheço seus hábitos. Todos os dias, antes do desjejum, ele corta a cabeça de dois ou três homens apenas por diversão. Um dia, não havia mais ninguém por perto, então ele cortou a minha e certamente cortará a sua por um motivo ou outro. No entanto, se estiver decidido a jogar chaupar com ele, leve alguns ossos desse cemitério e faça seus dados com eles. Assim, meu irmão não poderá jogar com os dados encantados, com os quais sempre vence.

Então Rasalu pegou alguns ossos que estavam jogados por ali e fez dados com eles, os quais guardou no bolso. Depois, despedindo-se do cadáver sem cabeça, seguiu sua viagem para jogar chaupar com o rei.

No caminho, o gentil e forte rajá Rasalu encontrou uma floresta em chamas, e uma voz que vinha do fogo, dizendo:

– Ó, viajante! Por Deus, me salve do fogo!

O príncipe se virou na direção da floresta ardente e, surpresa, aquela voz pertencia a um pequeno gafanhoto. Todavia, o gentil e forte Rasalu o tirou do fogo e o deixou em liberdade. A pequena criatura, repleta de gratidão, arrancou uma de suas antenas e, entregando-a a seu salvador, disse:

– Fique com isso. Se algum dia estiver com problemas, coloque-a no fogo. Irei ajudá-lo de imediato.

O príncipe sorriu, dizendo:

– Que ajuda *você* poderia me oferecer?

Ainda assim, guardou a antena e seguiu seu caminho.

Quando chegou à cidade do rei Sarkap, setenta donzelas, filhas do rei, saíram para recebê-lo. Eram setenta belas donzelas, alegres e despreocupadas, cheias de sorrisos e risos; mas uma delas, a mais jovem de todas, ao ver o jovem e galante príncipe montado em Bhaunr, seguindo alegremente para sua ruína, sentiu pena dele e disse:

> *Belo príncipe, que a cavalo avança,*
> *Vá embora, me obedeça!*
> *Ou prepare sua lança,*
> *Pois hoje perderá a cabeça.*
> *Se quer viver, interrompa a andança,*
> *Vá embora, me obedeça!*

Mas ele, sorrindo para a donzela, respondeu com leveza:

> *De longe vim, bela donzela,*
> *Na guerra e no amor muito conquistei.*
> *Minha chegada lamentará o rei,*
> *Sem cabeça para chorar sua mazela.*
> *E depois partiremos a contento,*
> *E a você proporei casamento!*

Ao ouvir a resposta valente de Rasalu, a donzela olhou para seu rosto. Vendo como era belo, como era forte e corajoso, ela se apaixonou por ele imediatamente e o seguiria de bom grado pelo mundo.

Mas as outras sessenta e nove donzelas, com ciúmes, riram dele com desdém e disseram:

– Não tão rápido, corajoso guerreiro! Se quiser se casar com nossa irmã, deve primeiro fazer o que pedimos, pois será nosso irmão mais novo.

– Belas irmãs! – exclamou Rasalu com vivacidade. – Digam o que querem e eu o farei.

As sessenta e nove donzelas misturaram um quintal de sementes de painço com um quintal de areia e pediram que Rasalu separasse as sementes da areia.

Então o rapaz se lembrou do gafanhoto e tirando a antena do bolso jogou-a no fogo. Logo ouviu-se um zumbido no ar, e uma grande nuvem de gafanhotos pousou ao lado dele, dentre os quais o gafanhoto cuja vida ele havia salvado.

Rasalu pediu:

– Separem as sementes de painço da areia.

– É só isso? – perguntou o gafanhoto. – Se eu soubesse que a tarefa era tão simples, não teria reunido tantos irmãos.

Com isso, a nuvem de gafanhotos começou a trabalhar e em uma noite separaram todas as sementes de painço da areia.

Quando as sessenta e nove belas donzelas, filhas do rei, viram que Rasalu havia concluído a tarefa, deram-lhe mais uma, pedindo que balançasse todas, uma a uma, em seus balanços até que se cansassem.

Ele riu e disse:

– Vocês são em setenta, incluindo minha noiva, e não passarei a vida toda balançando garotas! Ora, quando tiver empurrado todas, a primeira vai querer balançar de novo! Não! Se quiserem balançar, subam todas as setenta em um único balanço e verei o que pode ser feito.

Assim, as setenta donzelas subiram em um só balanço e o rajá Rasalu, com sua armadura brilhante, amarrou as cordas a seu poderoso arco e o tencionou ao máximo. Depois o soltou e, como uma flecha, o balanço disparou no ar com sua carga de setenta belas donzelas, alegres e despreocupadas, cheias de sorrisos e risos.

Mas, quando o balanço voltou, Rasalu desembainhou sua espada afiada e cortou as cordas. As setenta belas donzelas foram ao chão de uma vez; e algumas se feriram, outras quebraram algo, escapando ilesa apenas a donzela que amava Rasalu, pois caiu por último, em cima das outras e não se machucou.

Depois disso, Rasalu deu quinze passos e chegou aos setenta tambores que qualquer um que chegasse para jogar chaupar com o rei tinha que tocar. Batucou tão alto que quebrou todos. Depois, aproximou-se dos setenta gongos, todos enfileirados, e os golpeou com tanta força que os rompeu em pedaços.

Vendo aquilo, a princesa mais nova, única que conseguia correr, dirigiu-se ao pai com muito medo, dizendo:

Um poderoso príncipe chegou criando confusão,
Balançou suas sete filhas e as deixou cair no chão.
Quebrou os gongos, nos tambores bateu forte.
Matará vossa alteza e me tomará por consorte!

Mas o rei Sarkap respondeu com desdém:

Está dizendo besteira,
Isso vou resolver,
De bem simples maneira,
Ao terminar de comer.
Tão logo este tipo apareça,
Eu lhe cortarei a cabeça!

Apesar das corajosas e prepotentes palavras, ele estava, na realidade, com muito medo, pois havia ouvido falar de Rasalu. Sabia que ele ficaria na casa de uma anciã na cidade até a hora da partida de chaupar. Então, Sarkap enviou escravos com bandejas de doces e frutas, como se ele fosse um convidado de honra. Mas os alimentos estavam envenenados.

Quando os escravos chegaram com as bandejas para o rajá Rasalu, ele se levantou com arrogância e disse:

– Digam a seu senhor que não quero saber de amizade. Sou seu inimigo declarado e não aceitarei nada dele!

Com isso, ele jogou os doces para o cachorro do rajá Sarkap, que tinha seguido os escravos e, pasme!, o cachorro morreu.

Rasalu ficou furioso e declarou com amargura:

– Voltem e digam a Sarkap que Rasalu não considera um ato de bravura matar um inimigo de forma traiçoeira.

Quando a noite caiu, o rajá Rasalu foi jogar chaupar com o rei Sarkap e ao passar por um forno de olaria viu uma gata andando de um lado para o outro sem parar. Ele perguntou o que a afligia tanto a ponto de não parar quieta. Ela respondeu:

– Meus gatinhos estão em uma dessas vasilhas de argila sem queima. Aquele forno acabou de ser aceso e meus filhos serão queimados vivos. Por isso estou tão inquieta!

Suas palavras tocaram o coração do rajá Rasalu e ele foi até o oleiro e pediu que lhe vendesse o forno com tudo dentro. O oleiro respondeu que não conseguiria estabelecer um preço justo até que as vasilhas fossem queimadas, pois não havia como saber quantas sairiam inteiras. Ainda assim, depois de alguma negociação, ele concordou em vender o forno. Rasalu procurou dentro de todas as vasilhas e devolveu os gatinhos à mãe. Ela, em gratidão por sua bondade, entregou um dos gatinhos a ele, dizendo:

– Coloque-o no bolso, pois ele o ajudará quando estiver com problemas.

O rajá Rasalu guardou o gatinho no bolso e foi jogar chaupar com o rei.

Antes de se sentarem para jogar, o rajá Sarkap estabeleceu as apostas: na primeira partida, seu reino; na segunda, todas as suas riquezas; na terceira, sua própria cabeça. Da mesma forma, o rajá Rasalu determinou suas apostas: na primeira partida, suas armas; na segunda, seu cavalo; na terceira, sua própria cabeça.

Eles começaram a jogar e coube a Rasalu fazer o primeiro movimento. Esquecendo-se do alerta do homem morto, ele jogou com os dados fornecidos pelo rajá Sarkap. Além disso, Sarkap soltou seu famoso rato, Dhol Rajá, que ficou correndo pelo tabuleiro, derrubando as peças de chaupar, de modo que Rasalu perdeu a primeira partida e teve que abrir mão de sua armadura brilhante.

Começou a segunda partida, e mais uma vez o rato, Dhol Rajá, bagunçou as peças. Rasalu, perdendo o jogo, entregou seu leal corcel. Então Bhaunr, o cavalo árabe, que estava por perto, encontrou sua voz e disse ao seu senhor:

Caro príncipe, confie em mim;
Faço muito mais que comer capim.
Para bem longe podemos ir.
Se em minhas costas logo subir.
Mas se decidir que deve ficar,
Verifique o bolso antes de jogar!

Ao ouvir aquilo, o rajá Sarkap franziu a testa e pediu que seus criados retirassem Bhaunr, o cavalo árabe, dali já que estava dando conselhos sobre o jogo ao seu senhor. Quando os escravos chegaram para levar o leal corcel, Rasalu não conseguiu conter as lágrimas, lembrando dos longos anos durante os quais Bhaunr fora seu companheiro. O cavalo falou novamente:

Caro príncipe, não chore. Não comerei doutro pão,
Para nenhum novo estábulo me levarão.
Mas ouça-me. Leve ao bolso a mão.

Aquelas palavras despertaram a memória de Rasalu e quando, no mesmo momento, o gatinho começou a se contorcer em seu bolso, ele se lembrou do alerta e dos dados feitos de ossos humanos. Seu coração acelerou e ele disse ao rajá Sarkap com ousadia:

– Deixe meu cavalo e minhas armas aqui, por ora. Haverá tempo suficiente para levá-los quando conquistar minha cabeça!

O rajá Sarkap, vendo Rasalu ganhar confiança, começou a ficar com medo e pediu que todas as mulheres de seu palácio se apresentassem com seus trajes mais alegres e ficassem diante de Rasalu, a fim de distrair sua atenção do jogo. Mas ele nem olhou para elas. Tirou os dados do bolso e disse a Sarkap:

– Jogamos com seus dados esse tempo todo; agora jogaremos com os meus.

O gatinho então foi se sentar à janela pela qual o rato Dhol Rajá costumava entrar, e a partida começou.

Depois de um tempo, vendo que o rajá Rasalu estava vencendo, Sarkap chamou seu rato, mas quando Dhol Rajá viu o gatinho, ficou com medo e não apareceu. Assim, Rasalu venceu e recuperou suas armas. Em seguida, jogou por seu cavalo, e mais uma vez o rajá Sarkap chamou o rato. Mas Dhol Rajá, vendo o gato que estava de vigia, ficou com medo. Rasalu venceu a segunda partida e recuperou Bhaunr, o corcel árabe.

Então Sarkap concentrou toda sua habilidade na terceira partida, dizendo:

Fiquem ao meu lado, ó peças do tabuleiro!
Não deixem este homem vencer primeiro.
O que está em jogo é minha própria vida.
Por Sarkap, que haja uma saída!

Mas Rasalu contestou:

Fiquem ao meu lado, ó peças do tabuleiro!
Não deixem este homem vencer primeiro.
Pelos Céus, que haja uma saída!

Eles começaram a jogar, enquanto as mulheres os rodeavam, e o gatinho vigiava Dhol Rajá pela janela. Então Sarkap perdeu, primeiro seu reino, depois toda sua riqueza e, por último, sua cabeça.

No mesmo instante, um criado entrou para anunciar o nascimento de uma filha do rajá Sarkap que, tomado pela desgraça, gritou:

– Mate-a agora mesmo! Pois nasceu em um momento amaldiçoado e trouxe má sorte ao seu pai!

Mas o gentil e forte Rasalu levantou-se com sua armadura brilhante e disse:

– Não faça isso, rei! Ela não fez mal algum. Conceda-me esta menina como esposa e, se jurar por tudo o que considera mais sagrado nunca mais jogar chaupar pela cabeça de alguém, pouparei a sua!

Sarkap fez então um voto solene de nunca mais apostar cabeças. Depois, pegou um ramo de manga e a recém-nascida e entregou a Rasalu em uma bandeja de ouro.

Quando partiu do palácio com a recém-nascida e o ramo de manga, encontrou um grupo de prisioneiros que exclamaram:

Se os outros são galinhas, és falcão.
Por favor, atenda nossa solicitação,
Liberte-nos e receba nossa bendição.

E o rajá Rasalu os escutou e pediu que o rei Sarkap os libertasse.

Seguiu então para as montanhas Murti e deixou a recém-nascida, Kokilan, em um palácio subterrâneo e plantou o ramo de manga na porta, dizendo:

– Em doze anos a mangueira florescerá e eu voltarei para me casar com Kokilan.

E depois de doze anos, a mangueira começou a florescer e o rajá Rasalu se casou com a princesa Kokilan, que ele ganhou quando jogou chaupar com o rei Sarkap.

O asno em pele de leão

Quando Brahmadatta reinava em Benares, o futuro Buda nasceu em uma família de camponeses. Ao crescer, ganhava a vida lavrando a terra.

Na época, um mascate passava vendendo mercadorias transportadas por um asno. A cada lugar em que parava, quando tirava o carregamento do lombo do asno, costumava cobri-lo com uma pele de leão e soltá-lo nos campos de arroz e cevada. Assim, se os vigias dos campos vissem o asno, não ousariam se aproximar dele, pois o tomariam por um leão.

Um dia, o mascate parou em uma aldeia. Enquanto preparava seu desjejum, vestiu o asno com a pele de leão e o soltou em um campo de cevada. O vigia do campo não ousou se aproximar dele, mas, ao voltar para casa, espalhou a notícia. Então todos os aldeãos saíram com armas nas mãos, soprando shankhas e tocando tambores. Chegaram perto do campo e gritaram. Aterrorizado e com medo de morrer, o animal soltou um berro, o zurro de um asno!

Ao se dar conta de que se tratava de um asno, o futuro Buda pronunciou a primeira estrofe:

Não é de um leão o rugido,
Não é tigre nem pantera.
É apenas um asno fingido,
Fantasiado de fera!

Mas quando os aldeãos descobriram que a criatura não passava de um asno, surraram-no até quebrarem seus ossos e foram embora levando a pele de leão. Quando o mascate chegou e viu o asno caído e em péssimas condições, pronunciou a segunda estrofe:

O asno em pele de leão,
Se não fosse tão burro,
Ficaria ali pastando,
Em vez de soltar um zurro.
E essa foi sua perdição.

E, enquanto ele ainda falava, o asno morreu!

O fazendeiro e o usurário

Era uma vez um fazendeiro que sofria muito nas mãos de um usurário. Fossem boas ou más as colheitas, o fazendeiro estava sempre pobre, e o usurário sempre rico. No fim, quando já não lhe restava mais nada, o fazendeiro foi à casa do usurário e disse:

– Não se pode tirar leite de pedra, e como você não tem mais o que tirar de mim. Deve me contar o segredo para ficar rico.

– Meu amigo – respondeu o usurário humildemente –, a riqueza vem de Rama. Pergunte a ele.

– Obrigado, perguntarei! – respondeu o fazendeiro. Então preparou três pães para a viagem e partiu para encontrar Rama.

Primeiro, encontrou um brâmane e lhe deu um pão, pedindo que indicasse o caminho para Rama. Mas o brâmane pegou o pão e seguiu sem dizer uma palavra. Em seguida, o fazendeiro encontrou um iogue, a quem também entregou um pão sem receber nenhuma ajuda. Por último, encontrou um homem pobre sentado sob uma árvore. Ao descobrir que ele tinha fome, o gentil fazendeiro lhe deu seu último pão e, sentando-se ao seu lado, iniciou uma conversa.

– Para onde está indo? – perguntou o homem.

– Ah, tenho uma longa viagem pela frente, pois quero encontrar Rama! – respondeu o fazendeiro. – Suponho que não saiba que caminho devo seguir.

– Talvez saiba – respondeu o pobre homem, sorrindo –, pois *eu* sou Rama! O que quer de mim?

O fazendeiro contou sua história, e Rama, com pena dele, entregou-lhe uma concha e lhe mostrou como soprá-la de um modo específico, dizendo:

– Lembre-se! Quando desejar algo, basta soprar a concha desse modo e seu desejo será realizado. Apenas fique atento àquele usurário, pois nem a magia é imune às suas artimanhas!

O fazendeiro voltou exultante à aldeia. O usurário notou sua alegria de imediato e disse a si mesmo:

– Algo bom deve ter acontecido àquele idiota para estar assim tão feliz.

Então, ele foi à casa simples do fazendeiro e o felicitou pela boa sorte com palavras sagazes, fingindo saber tudo o que havia acontecido. Logo, o fazendeiro acabou contando toda a história, à exceção do segredo para soprar a concha, pois, apesar de ser um homem simples, ele não era tão tolo a esse ponto.

O usurário estava decidido a ficar com a concha a qualquer custo e como era malvado o suficiente para passar por cima de tudo, esperou uma oportunidade favorável e roubou a concha.

Após quase explodir de tanto soprá-la de todas as formas possíveis, ele foi obrigado a desistir. No entanto, determinado a conseguir, voltou à casa do fazendeiro e disse com frieza:

– Veja só, estou com sua concha, mas não consigo usá-la. Você não está com ela, então é evidente que também não pode usá-la. A questão está em suspenso até que cheguemos a um acordo. Prometo lhe devolver a concha e nunca interferir em seu uso com uma condição: tudo o que conseguir com ela, eu ganho em dobro.

– Nunca! – exclamou o fazendeiro. – Seria como voltar ao de sempre!

– Não mesmo! – respondeu o usurário. – Você terá sua parte! Não seja mesquinho. Se *você* terá tudo o que quiser, o que lhe importa se *eu* for rico ou pobre?

Por fim, embora relutante em conceder qualquer benefício ao usurário, o fazendeiro foi obrigado a ceder. A partir daquele momento, tudo o que ganhasse pelo poder da concha, o usurário ganhava em dobro. Aquilo consumia a mente do fazendeiro dia e noite, de modo que não se satisfazia com nada.

Então chegou uma estação muito seca, tão seca que os cultivos do fazendeiro definharam por falta de chuva. Ele soprou sua concha e desejou um poço para regá-las. E logo surgiu um poço. Mas o usurário tinha dois! Dois belos poços novos! Era demais para ele aguentar; e nosso amigo ficou remoendo, remoendo, até que lhe ocorreu uma ideia brilhante. Ele pegou a concha, soprou-a com força e gritou:

– Ó, Rama! Desejo ficar cego de um olho!

E assim ficou de imediato. O usurário, é claro, ficou cego dos dois e tentando encontrar o caminho entre seus dois novos poços, caiu em um deles e se afogou.

Esta história verdadeira mostra que um fazendeiro uma vez conseguiu triunfar sobre um usurário, mas apenas perdendo um dos olhos.

O menino com uma lua na testa e uma estrela no queixo

Em um país, vivia um casal muito pobre com sete filhas que costumavam ir todos os dias brincar com a filha do jardineiro à sombra das árvores do jardim do rei. Diariamente, a menina do jardineiro dizia a elas:

– Quando eu me casar, terei um filho. E será o menino mais belo que já se viu. Terá uma lua na testa e uma estrela no queixo.

E suas companheiras de brincadeiras riam e zombavam dela.

Um dia, o rei a ouviu falando do belo menino que teria quando se casasse e pensou consigo mesmo que gostaria muito de ter um filho assim; ainda mais porque, embora tivesse quatro rainhas, ainda não tinha nenhum filho. Assim, foi até o jardineiro e lhe disse que queria se casar com a filha dele. Aquilo deixou o jardineiro e sua esposa muito felizes, que acharam que de fato seria magnifico se sua filha se tornasse princesa. Então disseram "sim" ao rei e convidaram todos os amigos para o casamento. O rei também convidou seus amigos e deu muito dinheiro ao jardineiro. O casamento foi celebrado com um grande banquete e festejos.

Um ano depois, aproximava-se o dia em que a filha do jardineiro daria à luz seu filho, e o rei e as quatro rainhas iam constantemente vê-la. Em uma ocasião, as rainhas lhe disseram:

– O rei sai todos os dias para caçar e logo terá seu filho. Se você adoecer enquanto estiver fora, ele não ficaria sabendo. O que faria?

À noite, quando o rei voltou para casa, a filha do jardineiro disse:

– Você sai todo dia para caçar. Se eu tiver algum problema ou ficar doente enquanto estiver fora, como faço para chamá-lo?

O rei lhe deu um tambor que deixou perto da porta e disse:

– Sempre que precisar de mim, toque este tambor. Não importa a qual distância esteja, eu o ouvirei e virei até você.

Na manhã seguinte, quando o rei saiu para caçar, as quatro outras rainhas foram ver a filha do jardineiro. Ela contou sobre o tambor.

– Ah! – exclamaram elas. – Toque o tambor só para ver se o rei vem mesmo.

– Não, não farei isso – respondeu ela. – Por que deveria interromper sua caçada se não preciso dele?

– Não se preocupe em interromper a caçada – disseram elas. – Teste o tambor, para ver se ele virá mesmo.

Por fim, para agradá-las, ela tocou o tambor e o rei apareceu.

– Por que me chamou? – perguntou ele. – Interrompi minha caçada para vir até você.

– Não preciso de nada – respondeu ela. – Só queria ver se realmente viria quando eu tocasse o tambor.

– Muito bem – disse o rei. – Mas não me chame novamente a menos que realmente seja necessário. – E ele voltou à caçada.

No dia seguinte, quando o rei saiu para caçar como de costume, as quatro rainhas foram novamente ver a filha do jardineiro. Elas insistiram muito para que ela tocasse o tambor mais uma vez, "só para ver se o rei viria mesmo dessa vez". A princípio, ela se recusou, mas acabou cedendo. Então, tocou o tambor e o rei apareceu. Mas quando descobriu que ela não estava doente nem em apuros, ficou furioso e disse:

– Interrompi duas vezes minha caçada e perdi minha caça para vir até aqui sem necessidade. Agora, pode chamar o quanto quiser, eu não virei.

Ele foi embora cheio de raiva.

No terceiro dia, a filha do jardineiro passou mal. Tocou várias vezes o tambor, mas o rei não apareceu. Ele ouviu o tambor, mas pensou: "Ela não precisa de mim de verdade, está apenas testando para ver se vou até lá".

Enquanto isso, as quatro outras rainhas chegaram e disseram:

– Por aqui, temos o costume de vendar os olhos da mãe com um lenço antes do nascimento da criança para que não a veja de imediato. Então vamos vendar seus olhos.

– Muito bem, vendem meus olhos – respondeu ela.

As quatro rainhas amarraram um lenço sobre os olhos dela.

Logo depois, a filha do jardineiro teve um lindo menino com uma lua na testa e uma estrela no queixo. Antes que a pobre mãe o visse, as quatro rainhas malvadas levaram o bebê à ama e disseram:

– Não deve deixar esta criança fazer nenhum barulho para que a mãe não a ouça. À noite, deve matá-la ou levá-la para longe daqui para que a mãe não a veja. Se nos obedecer, receberá muitas rupias.

Elas haviam feito aquilo movidas pelo rancor. A ama levou o bebê e o colocou em uma caixa, e as quatro rainhas voltaram para a filha do jardineiro.

Primeiro, colocaram uma pedra no berço do menino. Tiraram a venda de seus olhos e mostraram a criança a ela, dizendo:

– Veja! Este é seu filho!

A pobre moça chorou amargamente e pensou: "O que o rei dirá quando não encontrar criança nenhuma"? Mas não havia nada que pudesse fazer.

Quando o rei voltou para casa, ficou furioso ao saber que sua esposa mais nova, a filha do jardineiro, havia lhe dado uma pedra em vez do belo menino que havia prometido. Transformou-a em uma das criadas do palácio e nunca mais falou com ela.

No meio da noite, a ama pegou a caixa em que estava o belo príncipe e foi até uma clareira na selva. Lá, cavou um buraco, amarrou bem a caixa e a colocou lá dentro, embora a criança ainda estivesse viva. Shankar, o cachorro do rei, a acompanhara para ver o que faria com a caixa. Assim que ela voltou até onde estavam as quatro rainhas (que lhe deram muitas rupias), o cachorro foi até o buraco em que estava a caixa, tirou-a de lá e a abriu. Quando viu o lindo menino, ficou muito feliz e disse:

– Se for do desejo de khuda que este menino viva, não o machucarei. Não o comerei, mas o engolirei inteiro e o esconderei em meu estômago.

E foi o que fez.

Passados seis meses, o cachorro foi à noite para a selva e pensou: "Será que o menino está vivo ou morto"? Então expulsou a criança do estômago e alegrou-se com sua beleza. O menino tinha seis meses de idade. Depois de acariciá-lo e cuidar dele, Shankar voltou a engoli-lo por mais seis meses. Ao fim desse tempo, foi mais uma vez para a clareira à noite. Lá, tirou a criança do estômago (o menino agora tinha um ano de idade) e o acariciou e afagou bastante, além de ter ficado muito feliz com tamanha beleza.

Mas, desta vez, o tratador do cachorro o havia seguido e observado. Observou o que Shankar fez, e viu aquela linda criança. Então correu para as quatro rainhas e disse:

– Dentro do cachorro do rei há uma linda criança! Um menino com uma lua na testa e uma estrela no queixo. Nunca se viu uma criança assim!

As quatro esposas ficaram apavoradas. Assim que o rei voltou da caçada, disseram:

– Enquanto você estava fora, seu cachorro entrou em nossos aposentos, rasgou nossas roupas e derrubou todas as nossas coisas. Temos medo que ele nos mate.

– Não temam – afirmou o rei. – Jantem tranquilas. Mandarei matar o cachorro amanhã de manhã.

Então ordenou que os criados matassem o cachorro ao amanhecer, mas o animal o escutou e pensou: "O que devo fazer? O rei pretende me matar. Não me importo com isso, mas o que será da criança se eu for morto? O menino vai morrer. Não sei se poderei salvá-lo".

Quando anoiteceu, o cachorro correu até Suri, a vaca do rei, e disse a ela:

– Suri, quero lhe dar uma coisa, pois o rei ordenou que me matassem amanhã. Cuidará muito bem daquilo que vou lhe dar?

– Deixe-me ver o que é – disse Suri. – Se eu puder, cuidarei.

Então foram os dois juntos à clareira, e lá o cachorro tirou o menino do estômago. Suri ficou encantada com ele.

– Nunca vi uma criança tão linda – afirmou ela. – Veja, ele tem uma lua na testa e uma estrela no queixo. Vou cuidar muito bem dele.

Após dizer aquilo, ela engoliu o pequeno príncipe. O cachorro a agradeceu muito e disse:

– Amanhã, devo morrer.

E a vaca então voltou ao estábulo.

Na manhã seguinte, levaram o cachorro para a selva e o mataram.

A criança agora vivia no estômago de Suri. Depois de passado um ano inteiro, quando ele já estava com dois anos de idade, a vaca foi até a clareira e pensou: "Não sei se a criança está viva ou morta. Mas nunca a machuquei, então verei". Ela então tirou o menino do estômago e ele brincou um pouco. Suri ficou muito feliz, ela o acariciou, afagou e conversou com ele. Então o engoliu e voltou ao estábulo.

Ao fim de outro ano, ela voltou à clareira e tirou a criança do estômago. Ele brincou e correu por uma hora, para alegria de Suri, e ela conversou com ele e o acariciou. Sua grande beleza a deixou muito feliz. Então ela o engoliu mais uma vez e voltou ao estábulo. A criança já tinha três anos.

Mas, desta vez, o tratador havia seguido Suri e visto a bela criança e tudo o que a vaca havia feito. Ele correu para contar às quatro rainhas:

– Dentro da vaca do rei há uma linda criança! Um menino com uma lua na testa e uma estrela no queixo. Nunca se viu uma criança assim!

Com isso, as rainhas ficaram aterrorizadas. Rasgaram as roupas, arrancaram os cabelos e choraram. À noite, quando o rei chegou, perguntou por que elas estavam tão agitadas.

– Ah – disseram. – Sua vaca tentou nos matar, mas nós fugimos. Ela puxou nossos cabelos e rasgou nossas roupas.

– Não se preocupem – disse o rei. – Jantem tranquilas. A vaca será morta amanhã de manhã.

Mas Suri ouviu o rei dar aquela ordem aos criados, então pensou: "O que posso fazer para salvar a criança"? À meia-noite, ela foi até Katar, o cavalo do rei, muito ferino e praticamente indomado. Ninguém nunca havia conseguido montar nele. Na verdade, ninguém podia chegar perto dele em segurança, de tão selvagem que era. Suri disse ao cavalo:

– Katar, poderia cuidar de algo que eu gostaria de lhe dar? Porque o rei ordenou que me matassem amanhã.

– Certo – respondeu Katar. – Mostre-me o que é. – Então Suri tirou a criança do estômago, e o cavalo se encantou por ela. – Sim – disse ele. – Cuidarei muito bem dela. Até agora, ninguém conseguiu montar em mim, mas esta criança o fará.

Ele engoliu o menino, e a vaca agradeceu.

– Morrerei amanhã pelo bem desse menino – disse.

Na manhã seguinte, ela foi levada para a selva e morta.

O belo menino agora vivia no estômago do cavalo e lá ficou por um ano. Ao fim desse período, o cavalo pensou: "Verei se esta criança está viva ou morta". Então o tirou do estômago, cuidou dele e o acariciou. O pequeno príncipe ficou brincando pelo estábulo, do qual não permitiam que o cavalo saísse. Katar ficou muito feliz ao ver o menino que agora estava com quatro anos. Depois de brincar com ele por um tempo, o cavalo o engoliu novamente. Ao fim de outro ano, quando o menino tinha cinco anos de idade, Katar o tirou do estômago novamente, afagou-o, cuidou dele e o deixou brincar pelo estábulo como fizera no ano anterior. E em seguida o engoliu mais uma vez.

Mas desta vez o tratador viu tudo o que aconteceu. Quando amanheceu e o rei saiu para sua caçada, ele foi falar às quatro rainhas o que tinha visto. Contou a elas sobre a maravilhosa criança que vivia dentro do cavalo do rei, Katar. Ao ouvirem a história do tratador de cavalos, as quatro rainhas choraram, puxaram os cabelos, rasgaram as roupas e se recusaram a comer.

À noite, quando o rei voltou e perguntou por que estavam tão infelizes, elas disseram:

– Seu cavalo Katar rasgou nossas roupas, quebrou nossas coisas e nós fugimos por medo que nos matasse.

– Não se preocupem – disse o rei. – Apenas jantem tranquilas. Mandarei matar Katar amanhã.

Então ele pensou: "Dois homens sozinhos não dariam conta de matar um cavalo tão bravo", e ordenou que os criados pedissem a ajuda de sua tropa de sipais.

No dia seguinte, o rei posicionou seus sipais ao redor do estábulo e se juntou a eles. Disse que ele mesmo mataria qualquer um que deixasse o cavalo escapar.

O cavalo estava ouvindo todas aquelas ordens. Ele tirou o menino da barriga e disse:

– Entre naquele quartinho que leva para fora do estábulo. Lá vai encontrar uma sela e rédeas que deve colocar em mim. Também vai encontrar belas roupas, como as que usam os príncipes. Deve vesti-las, em seguida, pegue a espada e arma que lá estão e depois monte em mim.

Katar, embora o rei e seus homens não soubessem, era um cavalo mágico, proveniente do país das fadas e, portanto, podia conseguir tudo o que quisesse. Quando tudo estava pronto, Katar saiu correndo do estábulo com o príncipe nas costas, passou pelo próprio rei, que nem teve tempo de atirar nele, e adentrou a selva a galope. O rei viu que o cavalo levava um menino no lombo, porém não conseguiu vê-lo nitidamente. Os sipais tentaram, em vão, atirar no cavalo. Ele galopava muito mais rápido. Por fim, acabaram todos espalhados pelo bosque, e o rei teve que desistir e ir para casa. O rei não pôde matar nenhum de seus sipais por deixarem o cavalo escapar, pois ele mesmo havia feito a mesma coisa.

Katar galopou, galopou e galopou. Quando anoiteceu, ele e o filho do rei pararam sob uma árvore. O cavalo comeu grama e o menino se alimentou de frutas silvestres que encontrou na selva. Na manhã seguinte, recomeçaram e foram para bem longe, até chegarem a uma selva em outro país, que não pertencia ao pai do príncipe, mas a outro rei. Ali, Katar disse ao menino:

– Agora desça de minhas costas. – O príncipe apeou. – Tire a sela e as rédeas, tire suas belas roupas e as coloque em uma trouxa junto com a espada e a arma. – O menino obedeceu. Então o cavalo lhe deu roupas mais simples para vestir e falou: – Esconda sua trouxa na grama, e eu cuidarei dela para você. Ficarei aqui nesta clareira, de modo que poderá me encontrar sempre que precisar. Agora deve partir e encontrar trabalho com alguém deste país.

Aquilo deixou o menino muito triste.

– Não conheço nada – disse ele. – O que devo fazer sozinho neste país?

– Não tenha medo – respondeu Katar. – Você encontrará serviço, e eu ficarei aqui para ajudar quando precisar de mim. Então vá. Mas, antes de ir, torça minha orelha direita. – O menino obedeceu, e o cavalo instantaneamente se transformou em um burrico. – Agora, torça sua orelha direita – pediu Katar. E quando o menino a torceu, não era mais um belo príncipe, mas um homem pobre, feio, de aparência comum. E a lua e a estrela em seu rosto estavam escondidas.

Então seguiu adentrando o país até encontrar um comerciante de grãos que perguntou quem ele era.

– Sou um pobre homem – respondeu o menino. – E procuro trabalho.

– Ótimo – disse o comerciante de grãos. – Será meu criado.

O comerciante vivia perto do palácio do rei, e certa vez, à meia-noite, o menino sentiu muito calor e saiu para se refrescar no jardim do rei. Lá, começou a cantar uma adorável canção. A sétima e mais jovem filha do rei o escutou e ficou se perguntando quem seria o responsável por aquele canto tão agradável. Ela se vestiu, prendeu os cabelos e desceu até onde aquele homem aparentemente pobre estava deitado, cantando.

– Quem é você? De onde vem? – perguntou ela.

Mas ele não respondeu nada.

"Quem é este homem que não responde quando falo com ele?", pensou a princesinha e foi embora. Na segunda noite, a mesma coisa aconteceu e também na terceira. Mas, na terceira noite, quando viu que não conseguiria fazer com que ele respondesse, ela disse:

– Que homem estranho é, não responde quando lhe dirijo a palavra.

Mas ele ainda assim permaneceu em silêncio.

No dia seguinte, quando terminou seu trabalho, o jovem príncipe foi à selva ver seu cavalo, que lhe perguntou:

– Está bem e feliz?

– Sim, estou – respondeu o menino. – Sou criado de um comerciante de grãos. Nas últimas três noites, fui ao jardim do rei e cantei uma canção e todas as vezes uma jovem princesa se aproximou de mim e me perguntou quem sou e de onde venho, mas não respondi nada. O que devo fazer?

O cavalo respondeu:

– Da próxima vez que ela perguntar quem você é, diga que é um homem muito pobre que veio de outro país para procurar trabalho aqui.

O menino voltou para a casa do comerciante e, à noite, quando todos já estavam na cama, foi ao jardim do rei e cantou sua adorável canção mais uma vez. A princesa escutou, levantou, vestiu-se e foi até ele.

– Quem é você? De onde vem? – perguntou.

– Sou um homem muito pobre – respondeu ele. – Vim de outro país para procurar trabalho aqui e agora sou um dos criados do comerciante de grãos.

Ela foi embora. Durante mais três noites, o menino cantou no jardim do rei, e a cada noite a princesa ia lhe perguntar as mesmas coisas e o menino dava as mesmas respostas.

Então, ela foi falar com seu pai e disse a ele:

– Pai, quero me casar. Mas devo escolher eu mesma o meu marido.

O pai permitiu e escreveu um convite a todos os reis e rajás da região, dizendo: "Minha filha mais nova quer se casar, mas insiste em escolher, ela mesma, o marido. Como não sei com quem ela deseja se casar, peço que todos compareçam em um certo dia para que ela os veja e faça sua escolha".

Muitos reis e rajás e seus filhos aceitaram o convite e compareceram. Quando todos chegaram, o pai da princesinha pediu a todos:

– Amanhã de manhã, todos devem se sentar juntos em meu jardim. – O jardim do rei era bem grande. – Então minha filha mais nova observará todos e escolherá um marido. Não sei por quem ela vai optar.

A jovem princesa ordenou que lhe preparassem um majestoso elefante para a manhã seguinte. Quando amanheceu e tudo estava pronto, ela se vestiu com trajes adoráveis, colocou suas belas joias e montou no elefante que estava pintado de azul. Na mão, levava um colar de ouro.

Ela entrou no jardim onde os reis, rajás e seus filhos estavam sentados. O menino, criado do comerciante de grãos, também estava no jardim: não como pretendente, mas junto aos outros criados.

A princesa rodeou o jardim e olhou para todos os reis, rajás e príncipes e então colocou o colar de ouro no pescoço do menino, o criado do comerciante de grãos. Com isso, todos riram, e os reis ficaram extremamente chocados. Eles e os rajás perguntaram:

– Que disparate é este? – Eles empurraram aquele que se fingia de homem pobre e tiraram o colar de seu pescoço. Depois disseram: – Saia do caminho, seu pobre imundo. Suas roupas estão sujas demais para chegar perto de nós!

O menino se afastou deles e ficou bem distante para ver o que aconteceria.

A filha mais nova do rei rodeou o jardim novamente com o colar de ouro na mão. Mais uma vez, colocou-o no pescoço do menino. Todos riram dela e disseram:

– Como a filha do rei pode pensar em se casar com este pobre homem comum?

E todos os reis e rajás que estavam ali como pretendentes, quiseram expulsá-lo do jardim. Mas a princesa exclamou:

– Cuidado! Cuidado! Não o expulsem. Deixem-no em paz. – Ela então o colocou sobre seu elefante e o levou ao palácio.

Os reis e rajás e seus filhos ficaram muito surpresos e perguntaram:

– O que isso significa? A princesa prefere aquele homem pobre a um de nós?

Seu pai então se levantou e disse a todos:

– Prometi a minha filha que ela se casaria com quem quisesse e como escolheu duas vezes aquele pobre homem comum, deve se casar com ele.

Assim, a princesa e o menino se casaram com grande luxo e esplendor: o pai e a mãe ficaram satisfeitos com a escolha, e os reis, rajás e seus filhos voltaram para casa.

Mas as seis irmãs da princesa tinham se casado com ricos príncipes e riram dela por ter escolhido um marido feio e pobre, como parecia ser o seu.

– Vejam que homem pobre e comum nossa irmã escolheu para se casar! – diziam umas às outras em tom jocoso.

Os maridos das seis saíam todos os dias para caçar e toda noite levavam para casa uma abundância de animais para suas esposas. A carne era preparada para o jantar delas e do rei. Mas o marido da princesa mais nova sempre ficava em casa, no palácio, e nunca saía para caçar. Aquilo a deixava muito triste. Ela pensou: "Os maridos de minhas irmãs caçam todos os dias, mas meu marido nunca sai para caçar".

Por fim, ela perguntou a ele:

– Por que nunca sai para caçar como fazem todos os dias os maridos de minhas irmãs que sempre trazem todo tipo de carne para casa? Por que sempre fica em casa em vez de fazer como eles?

Um dia, ele disse:

– Hoje sairei para tomar um ar.

– Muito bem – respondeu ela. – Vá, leve um dos cavalos.

– Não – respondeu o jovem príncipe. – Prefiro caminhar.

Então ele foi até a clareira na selva onde havia deixado Katar, que tinha passado todo aquele tempo como um burrico, e contou-lhe toda a história.

– Ouça – disse ele. – Eu me casei com a princesa mais nova; e quando nos casamos, todos riram dela por ter me escolhido. Disseram: "Que homem pobre e comum nossa princesa escolheu para ser seu marido"! Além disso, minha esposa está muito triste, porque os maridos de suas seis irmãs caçam todos os dias e levam para casa uma abundância de carne, deixando suas esposas muito orgulhosas. Mas eu fico em casa o dia todo e nunca caço. Hoje eu gostaria muito de caçar.

– Bem – disse Katar –, então torça minha orelha esquerda. – Assim que o menino a torceu, Katar deixou de ser um burrico e voltou a ser um cavalo. – Agora, torça sua orelha esquerda e se transformará em um belo e jovem príncipe.

Assim, o rapaz torceu a própria orelha esquerda e deixou de ser um homem pobre, feio e comum e se tornou um jovem e majestoso príncipe, com uma lua na testa e uma estrela no queixo. Ele vestiu suas roupas elegantes, colocou sela e rédeas em Katar, montou nele com espada e arma em punho e saiu para caçar.

Cavalgou para muito longe e disparou em muitas aves e cervos. Aquele dia, seus seis cunhados não encontraram nada para caçar, pois o belo e jovem príncipe já havia abatido tudo. Os seis príncipes passaram quase o dia todo vagando em vão em busca de animais até que ficaram com fome e com sede, não conseguiram encontrar água e não levavam mantimentos. Enquanto isso, o príncipe havia se sentado sob uma árvore para comer e descansar e lá o encontraram seus seis cunhados. Ao seu lado, havia água fresca e um pouco de carne assada.

Quando o viram, os seis príncipes disseram uns aos outros:

– Vejam só aquele belo príncipe. Ele tem uma lua na testa e uma estrela no queixo. Nunca o vimos nessa selva antes, deve ter vindo de outro país.

Eles se aproximaram, saudaram-no e suplicaram por um pouco de comida e água.

– Quem são vocês? – perguntou o jovem príncipe.

– Somos os maridos das seis filhas mais velhas do rei deste país – responderam eles. – Passamos o dia caçando e estamos com muita fome e muita sede.

Eles não reconheceram o cunhado.

– Bem – disse o jovem príncipe. – Eu lhes darei algo de comer e beber se fizerem o que eu pedir.

– Faremos tudo o que quiser – responderam eles. – Pois se não conseguirmos água para beber, morreremos.

– Muito bem – disse o jovem príncipe. – Se me deixarem colocar uma moeda incandescente nas costas de cada um, eu lhes darei comida e água. Estão de acordo?

Os seis príncipes concordaram, pois pensaram: "Ninguém nunca verá a marca da moeda, pois estará coberta por nossas roupas, e morreremos se ficarmos sem beber água".

Então o jovem príncipe pegou seis moedas e as esquentou no fogo. Colocou uma nas costas de cada príncipe e lhes deu água e boa comida. Eles comeram e beberam. Ao terminarem, agradeceram e voltaram para casa.

O príncipe ficou sob a árvore até anoitecer, quando montou em seu cavalo e foi para o palácio do rei. Todos olharam para o rapaz que chegava a galope e disseram:

– Que jovem príncipe maravilhoso! Ele tem uma lua na testa e uma estrela no queixo. – Mas ninguém o reconheceu. Quando ele chegou perto do palácio do rei, todos os criados perguntaram quem ele era. Como ninguém o reconheceu, os guardiões do portão não o deixaram entrar. Todos ficaram se perguntando quem ele seria e pensando que aquele era o príncipe mais belo jamais visto.

Por fim, perguntaram quem era ele.

– Sou o marido de sua princesa mais jovem – respondeu.

– Não, não. Mas não é mesmo – responderam eles. – Ele é um homem pobre, feio e de aparência comum.

– Mas eu sou ele – respondeu o príncipe. Porém ninguém acreditava nele.

– Diga-nos a verdade – pediram os criados. – Quem é você?

– Talvez não consigam me reconhecer – disse o jovem príncipe. – Chamem a princesa aqui. Desejo falar com ela.

Os criados a chamaram, e ela apareceu.

– Aquele homem não é meu marido – disse ela de imediato. – Meu marido não tem um décimo da beleza daquele homem. Deve ser um príncipe de outro país.

Ela perguntou a ele:

– Quem é você? Por que diz que é meu marido?

– Porque eu sou seu marido. Estou dizendo a verdade – respondeu o jovem príncipe.

– Não, não é. Não está dizendo a verdade – disse a princesinha. – Meu marido não é belo como você. Eu me casei com um homem muito pobre e de aparência comum.

– É verdade – respondeu ele. – No entanto, sou seu marido. Eu era o criado do comerciante de grãos. E em uma noite quente, fui ao jardim de seu pai e cantei. Você me ouviu, desceu, me perguntou quem eu era, de onde vinha e eu não respondi nada. O mesmo aconteceu na noite seguinte e na próxima. Na quarta, eu lhe disse que era um homem muito pobre e que tinha vindo de outro país procurar trabalho aqui e que era o criado do comerciante de grãos. Então você disse ao seu pai que desejava se casar, mas queria escolher seu próprio marido. E quando os reis e rajás estavam sentados no jardim de seu pai, você montou em um elefante, deu a volta e olhou para todos eles, depois colocou seu colar de ouro duas vezes em meu pescoço e me escolheu. Veja, aqui está seu colar e aqui estão o anel e o lenço que me deu no dia de nosso casamento.

Assim, ela acreditou nele e ficou muito feliz por seu marido ser um jovem príncipe tão belo.

– Que homem estranho você é! – disse ela. – Até agora, era pobre, feio e de aparência comum. Agora é belo e parece um príncipe. Nunca vi um homem tão belo, mas ainda assim sei que é meu marido. – Ela agradeceu a Deus por lhe deixar ter um marido daqueles. – Tenho – ela disse – um belo marido. Não há ninguém como ele neste país. Ele tem uma lua na testa e uma estrela no queixo.

Ela o levou para o palácio e o mostrou ao seu pai, à sua mãe e aos outros, que disseram nunca terem visto ninguém como ele. Todos ficaram muito felizes. E o jovem príncipe continuou vivendo no palácio do rei com sua esposa, e Katar passou a viver nos estábulos reais.

Um dia, quando o rei e seus sete genros estavam no salão de audiências do palácio, que estava cheio, o jovem príncipe disse a ele:

– Há seis ladrões aqui em seu palácio.

– Seis ladrões! – exclamou o rei. – Onde estão eles. Mostre-me.

– Lá estão – disse o príncipe apontando para os seis cunhados. O rei e todos os demais ficaram perplexos e não acreditaram no jovem.

– Se tirarem as casacas – disse ele –, verá com os próprios olhos que todos carregam a marca do ladrão nas costas.

As casacas dos seis príncipes foram retiradas, e o rei e todos que estavam no salão viram a marca da moeda incandescente. Os seis príncipes ficaram muito envergonhados, mas o jovem ficou muito feliz. Ele não havia esquecido que os cunhados tinham rido e zombado dele quando parecia um homem pobre.

Acontece que quando Katar ainda estava na selva, antes de o príncipe se casar, ele havia contado ao menino toda a história de seu nascimento e tudo o que havia acontecido com ele e com sua mãe.

– Quando estiver casado – disse Katar –, eu o levarei de volta ao país de seu pai.

Assim, dois meses depois que o jovem príncipe se vingou dos cunhados, o cavalo disse a ele:

– É hora de voltar para o seu pai. Peça permissão para o rei para voltar para seu país e lhe direi o que fazer quando chegar lá.

O príncipe sempre fazia o que seu cavalo pedia, portanto falou para sua esposa:

– Gostaria muito de ir ao meu país visitar meu pai e minha mãe.

– Muito bem – respondeu a esposa. – Vou dizer aos meus pais e pedir permissão para irmos.

Ela falou com eles, que permitiram que o casal viajasse. O rei deu à filha e ao jovem príncipe muitos cavalos, elefantes e todo tipo de presente, além de uma grande quantidade de sipais para protegê-los. Com toda pompa, eles viajaram ao país do príncipe, que não ficava tão longe. Quando chegaram, armaram as tendas na mesma clareira em que o príncipe havia sido deixado em uma caixa pela ama. Onde Shankar e Suri o haviam engolido tantas vezes.

Quando o rei, seu pai, marido da filha do jardineiro, viu o acampamento do príncipe, ficou muito alarmado e achou que um grande rei havia chegado para declarar guerra a ele. Enviou um de seus criados, portanto, para perguntar de quem era aquele acampamento. O jovem príncipe então lhe escreveu uma carta, na qual dizia: "Não me tema, pois você é um grande rei. Não vim para guerrear. Sou como se fosse um filho seu. Sou um príncipe que veio visitar seu país e falar com você. Gostaria de oferecer um grande banquete, ao qual deve comparecer todo o reino, homens e mulheres, velhos e jovens, ricos e pobres, de todas as castas; todas as crianças, faquires e sipais. Traga todos até aqui e celebraremos por uma semana".

O rei ficou muito satisfeito com a carta e ordenou que todos os homens, mulheres e crianças de todas as castas, faquires e sipais fossem ao acampamento para um grande banquete que o príncipe lhes ofereceria. E todos foram. O rei levou também suas quatro esposas. Todos estavam lá, exceto a filha do jardineiro. Ninguém lhe disse para ir ao banquete, pois ninguém se lembrou dela.

Quando o povo todo estava reunido, o príncipe viu que sua mãe não estava presente. Ele perguntou ao rei:

– Todos de seu país vieram ao meu banquete?

– Sim, todos – respondeu o rei.

– Tem certeza? – perguntou o príncipe.

– Certeza absoluta – respondeu o rei.

– Sei que uma mulher não veio – disse o príncipe. – É a filha de seu jardineiro, que já foi sua esposa e é agora criada em seu palácio.

– É verdade – disse o rei. – Eu tinha me esquecido dela.

O príncipe pediu que seus criados pegassem a melhor liteira e fossem buscar a filha do jardineiro. Antes, eles deveriam banhá-la e vesti-la com boas roupas e belas joias.

Enquanto os criados não traziam a filha do jardineiro, o rei refletiu sobre como o jovem príncipe era belo. Notou particularmente a lua em sua testa e a estrela em seu queixo e ficou se perguntando em que país nascera.

A liteira então chegou com a filha do jardineiro, o jovem príncipe foi ajudá-la a descer e a levou para sua tenda. Ele a saudou efusivamente. As quatro rainhas malvadas observaram e ficaram muito surpresas e zangadas. Lembraram-se de que, quando chegaram, o príncipe não as saudou nem lhes deu atenção, enquanto não poupava esforços para a filha do jardineiro e parecia muito feliz em vê-la.

Durante o jantar, o príncipe continuou dando muita atenção à filha do jardineiro e lhe serviu comida dos melhores pratos. Ela ficou surpresa com tanta gentileza e pensou: "Quem é este belo príncipe com uma lua na testa e uma estrela no queixo? Nunca vi ninguém tão belo. De que país vem"?

Dois ou três dias de banquete se passaram, e o tempo todo o rei e seu povo comentavam sobre a beleza do príncipe e se perguntavam quem seria ele.

Um dia, o príncipe perguntou se o rei tinha filhos.

– Não – respondeu ele.

– Sabe quem eu sou? – questionou o jovem.

– Não – disse o rei. – Diga-me quem é.

– Sou seu filho. E a filha do jardineiro é a minha mãe.

O rei balançou a cabeça com tristeza.

– Como pode ser meu filho, se nunca tive nenhum?

– Mas eu sou seu filho – afirmou o príncipe. – Suas quatro rainhas malvadas disseram que a filha do jardineiro lhe dera uma pedra e não um filho. Mas foram elas que colocaram a pedra em meu berço e depois tentaram me matar.

O rei não acreditou nele.

– Queria que fosse meu filho, mas não é possível, porque nunca tive filhos.

– Lembra-se de seu cachorro Shankar que depois mandou matar? E de sua vaca Suri que mandou matar também? Suas esposas pediram que os matasse para acabar comigo. E – disse ele, levando o rei até Katar – sabe que cavalo é esse?

O rei olhou para Katar e disse:

– É meu cavalo Katar.

– Sim – confirmou o príncipe. – Não se lembra que ele saiu correndo do estábulo comigo na garupa?

Katar contou ao rei que o príncipe era, de fato, seu filho. E lhe contou toda a história de seu nascimento e de sua vida até aquele momento. Quando o rei soube que o belo príncipe era realmente seu filho, ficou extremamente feliz. Abraçou-o, beijou-o e chorou de alegria.

– Agora virá para o palácio e viverá para sempre comigo.

– Não – disse o príncipe. – Não posso fazer isso. Não posso ir ao seu palácio. Vim apenas buscar minha mãe. Agora que a encontrei, pretendo levá-la comigo para o palácio de meu sogro. Casei-me com a filha de um rei e vivemos com ele.

– Mas agora que o encontrei, não posso deixar que se vá – disse seu pai. – Deve vir morar com sua esposa e sua mãe em meu palácio.

– Nunca faremos isso – disse o príncipe. – A menos que mate suas quatro rainhas malvadas com as próprias mãos. Se fizer isso, viveremos em seu palácio.

Então o rei matou suas rainhas e ele e sua esposa, a filha do jardineiro, e o príncipe e a princesa foram todos morar no palácio. Eles viveram felizes para sempre, e o rei agradeceu a Deus por lhe dar um filho tão belo e por livrá-lo de suas quatro esposas más.

Katar não retornou ao país das fadas, permaneceu com o jovem príncipe e nunca saiu de seu lado.

O príncipe e o faquir

Era uma vez um rei que não tinha filhos. Então ele se deitou para descansar na intersecção de quatro estradas, de modo que todos que passassem tivessem que passar sobre ele.

Por fim, chegou um faquir e disse ao rei:

– Senhor, por que está deitado aqui?

Ele respondeu:

– Faquir, mil homens passaram por aqui. Passe você também.

Mas o faquir perguntou:

– Quem é você?

O rei respondeu.

– Sou um rei, faquir. Não me faltam bens, nem ouro, mas já vivi muito e não tenho filhos. Então vim até aqui e me deitei nesta encruzilhada. Meus pecados e ofensas foram muitos, por isso vim me deitar aqui para que muitos homens passem sobre mim e talvez assim meus pecados sejam perdoados e Deus tenha piedade e me dê um filho.

O faquir respondeu:

– Ó, rei! Se conseguisse ter filhos, o que me daria?

– O que quiser, faquir – respondeu o rei.

O faquir disse:

– Não necessito de bens, nem de ouro, mas farei uma prece, e você terá dois filhos. Um deles será meu.

Ele pegou dois doces e os entregou ao rei.

– Rei! Pegue esses dois doces e os entregue a suas esposas. Dê às esposas que ama mais.

O rei pegou os doces e os guardou na casaca.

O faquir disse:

– Rei! Em um ano, voltarei. Dos dois filhos que nascerão, um será seu e o outro será meu.

O rei disse:

– Estou de acordo.

O faquir seguiu seu caminho, e o rei voltou para casa e deu um doce a cada esposa. Depois de um tempo, os dois filhos do rei nasceram e ele escondeu as crianças em um aposento subterrâneo que havia mandado construir.

Passou-se algum tempo, e um dia o faquir apareceu e disse:

– Rei! Entregue-me seu filho!

O rei pegou o filho de duas escravas e os apresentou ao faquir. Enquanto isso, os filhos do rei estavam no porão, fazendo a refeição. Naquele momento, uma formiga faminta pegou um grão de arroz do prato deles e o levava para seus filhos. Outra formiga mais forte chegou e a atacou para tirar-lhe o grão de arroz. A primeira formiga disse:

– Ó, formiga. Por que está tirando meu alimento? Estou há tempos procurando e consegui apenas um grão, que estou levando para os meus filhos. Os filhos do rei estão comendo no porão, você pode pegar um grão de lá, por que quer tirar o meu?

A segunda formiga desistiu de roubar da primeira e foi até onde os filhos do rei estavam comendo.

Ouvindo aquilo, o faquir exclamou:

– Rei! Estes não são seus filhos. Vá pegar as crianças que estão comendo no porão.

O rei então foi até lá e pegou os próprios filhos. O faquir escolheu o mais velho e partiu com ele. Quando chegou em casa, pediu para o filho do rei sair para pegar excremento para acender o fogo.

Então o filho do rei saiu para recolher estrume de vaca e voltou a entrar.

O faquir olhou para o filho do rei e pegou uma panela grande. Ele disse:

– Venha aqui, meu pupilo.

Mas o filho do rei disse:

– Primeiro o mestre, depois o pupilo.

O faquir disse para ele se aproximar uma vez, depois duas, três vezes e, em todas elas, o filho do rei respondeu:

– Primeiro o mestre, depois o pupilo.

Então o faquir foi para cima do filho do rei, pensando em pegá-lo para jogá-lo no caldeirão que estava cheio de óleo quente. O filho do rei levantou o faquir e o empurrou, arremessando-o dentro da panela. Ele ficou queimado e virou carne assada. O rapaz então encontrou uma chave do faquir. Pegou-a e abriu a porta da casa. Havia muitos homens presos na casa, também dois cavalos em uma cabana, dois galgos amarrados, dois simurghs engaiolados e dois tigres. O filho do rei libertou as criaturas, que deram graças a Deus, e as tirou da casa. Depois ele soltou todos os homens. Levou consigo os dois cavalos, os dois tigres, os dois cachorros e os dois simurghs. Com eles, partiu para outro país.

Seguia pela estrada quando encontrou um homem calvo que cuidava de um rebanho de bezerros. O homem lhe perguntou:

– Amigo, sabe lutar?

O filho do rei respondeu:

– Quando eu era pequeno, até lutava bem. Agora, se alguém quiser lutar comigo, não sou tão fraco a ponto de lhe dar as costas. Venha, lutarei com você.

O homem calvo disse:

– Se eu o derrubar, será meu escravo. Se você me derrubar, serei seu escravo.

Eles se prepararam e começaram a lutar. O filho do rei derrubou o outro.

Ele disse:

– Deixarei meus animais aqui, meus simurghs, tigres, cachorros e cavalos. Todos ficarão aqui enquanto vou à cidade. Encarrego o tigre como guardião de minha propriedade. Você, como meu escravo, também deve ficar aqui com meus pertences.

O filho do rei partiu para a cidade e encontrou um lago.

Viu que se tratava de um lago agradável e pensou em parar para se banhar ali. Assim, começou a tirar as roupas.

A filha do rei estava no telhado do palácio, viu suas marcas reais e disse:

– Aquele homem é um rei. Quando chegar a hora de eu me casar, será com ele e com mais ninguém. – Ela então disse ao pai: – Meu pai, desejo me casar.

– Ótimo – respondeu ele.

Logo, o rei proclamou:

– Que todos os homens, importantes ou não, compareçam hoje ao salão de audiências, pois a filha do rei escolherá seu marido.

Todos os homens da região reuniram-se, e o príncipe viajante, vestido com as roupas do faquir, pensou: "Devo comparecer a esta cerimônia hoje". Ele entrou no salão e se sentou.

A filha do rei saiu na sacada e passou os olhos em todos que estavam ali reunidos. Notou o príncipe sentado entre os outros com vestes de faquir.

A princesa disse à sua criada:

– Pegue esta vasilha de hena e respingue sobre aquele viajante vestido como um faquir.

A criada obedeceu às ordens e respingou hena sobre ele.

As pessoas disseram:

– A criada cometeu um erro.

Mas a princesa respondeu:

– A criada não cometeu erro nenhum, foi sua senhora que o cometeu.

Com isso, o rei casou sua filha com o faquir, que na verdade era um príncipe.

O que o destino havia decidido aconteceu naquele país, mas o rei ficou muito triste porque sua filha não escolhera nenhum dos muitos chefes e nobres que haviam se apresentado, e sim aquele faquir. Porém, guardou apenas em seu coração aqueles pensamentos.

Um dia, o príncipe viajante disse:

– Gostaria de sair para caçar com todos os genros do rei.

– Quem pensa que é este faquir para convocar uma caçada? – perguntaram todos.

No entanto, todos se preparam para a caçada e marcaram o ponto de encontro em certo lago.

O recém-casado príncipe foi até onde estavam seus tigres e pediu que eles e os cachorros matassem e trouxessem um grande número de gazelas, cervos e cabras-selvagens. De imediato, mataram e trouxeram um grande número de animais. Levando consigo o resultado da caçada, o príncipe foi até o lago estabelecido como ponto de encontro. Os outros príncipes, genros do rei daquela cidade, já estavam ali reunidos, mas não haviam caçado nada. Então, voltaram para a cidade e se apresentaram ao sogro, o rei, com as presas.

O rei não tinha nenhum filho homem. Quando o novo príncipe lhe disse que, na verdade, ele era um príncipe, o rei ficou muito feliz, pegou-o pela mão e o abraçou. Colocou-o sentado ao seu lado e disse:

– Príncipe, agradeço muito que tenha vindo aqui e se tornado meu genro. Estou muito contente e por isso lhe entregarei meu reino.

Por que o peixe riu?

Enquanto uma pescadora passava pelo palácio anunciando seus peixes, a rainha apareceu na janela e pediu que se aproximasse e mostrasse a mercadoria. Naquele instante, um peixe grande pulou no fundo do cesto.

– É macho ou fêmea? – questionou a rainha. – Eu gostaria de comprar um peixe fêmea.

Ao escutar aquilo, o peixe riu às gargalhadas.

– É macho – respondeu a pescadora e continuou em sua ronda.

A rainha voltou aos seus aposentos muito irritada. À noite, quando foi vê-la, o rei notou que algo a havia incomodado.

– Está indisposta? – perguntou.

– Não. Mas estou muito irritada com o estranho comportamento de um peixe. Uma mulher me mostrou um peixe hoje e quando perguntei se era macho ou fêmea, o peixe riu de maneira grosseira.

– O peixe riu? Impossível! Você deve estar sonhando.

– Não sou tola. Falo do que vi com meus próprios olhos e ouvi com meus próprios ouvidos.

– É estranho! Mas acredito no que diz. Averiguarei.

No dia seguinte, o rei repetiu ao vizir o que esposa lhe havia dito, pediu que investigasse a questão e lhe fornecesse uma resposta satisfatória em seis meses, sob pena de morte. O vizir prometeu fazer todo o possível, embora tivesse quase certeza de que fracassaria. Durante cinco meses, ele trabalhou de maneira incansável para encontrar o motivo da risada do peixe. Procurou em todos os lugares e falou com todo mundo. Consultou os sábios e instruídos, os versados em magia e todo tipo de ardil. Ninguém, no entanto, foi capaz de lhe dar uma explicação. Assim, ele voltou de coração partido para casa e começou a organizar seus assuntos diante da perspectiva de uma morte certa, pois conhecia o rei o bastante para saber que sua majestade não voltaria atrás na ameaça. Entre outras coisas, ele aconselhou seu filho a passar um tempo viajando, até que a raiva do rei tivesse passado um pouco.

O jovem, tanto esperto quanto belo, partiu para onde o destino o levasse. Já estava fora havia alguns dias quando encontrou um velho fazendeiro que viajava a uma aldeia. Considerando o ancião muito agradável, perguntou-lhe se poderia acompanhá-lo, declarando que pretendia visitar o mesmo lugar. O velho fazendeiro concordou e seguiram viagem juntos. O dia estava quente e o caminho era longo e cansativo.

– Não acha que seria mais agradável se de vez em quando um colocasse o outro para cima? – perguntou o jovem.

"Como é tonto este rapaz!", pensou o velho fazendeiro.

Logo em seguida, eles passaram por um milharal pronto para a colheita que parecia um mar de ouro ondeando de um lado para o outro com a brisa.

– Será que já está comido? – perguntou o jovem.

Sem entender o que ele queria dizer, o velho respondeu:

– Eu não sei.

Depois de um tempo, os dois viajantes chegaram a uma grande aldeia, onde o jovem entregou ao companheiro uma navalha e disse:

– Pegue isto, amigo, e arrume dois cavalos. Mas traga-a de volta, pois é muito valiosa.

O ancião, parecendo um pouco entretido e um pouco irritado, pegou a navalha, murmurando que seu companheiro devia ser tolo ou se fazia de tolo na frente dele. O jovem fingiu não ouvir o que ele havia dito e ficou praticamente em silêncio até chegarem à cidade, que ficava a pouca distância da casa do fazendeiro. Eles passaram pelo bazar e foram até a mesquita, mas ninguém os cumprimentou nem os convidou para entrar e descansar.

– Que grande cemitério! – exclamou o jovem.

"O que este homem está querendo dizer?", pensou o velho fazendeiro. "Está chamando esta cidade tão populosa de cemitério?"

Ao saírem da cidade, passaram por um cemitério onde algumas pessoas rezavam ao lado de um túmulo e distribuíam chapatis e kulchas a quem passava, em honra de seu ente querido falecido. Fizeram sinal para que os dois viajantes se aproximassem e pegassem o quanto quisessem.

– Que cidade esplêndida é isto aqui! – disse o jovem.

"Este homem certamente enlouqueceu!", pensou o fazendeiro. "Fico imaginando o que ele fará em seguida? Vai chamar a terra de água e a água de terra; falar de luz quando estiver escuro e de escuridão quando houver luz". No entanto, ele guardou os pensamentos para si.

Em seguida, tiveram que atravessar um riacho que corria ao longo do cemitério. A água era bem profunda, então o velho fazendeiro tirou os sapatos e as calças para passar, mas o jovem atravessou de sapatos e calças.

– Ora! Nunca vi alguém tão tolo, tanto de palavras quanto de ação – disse o ancião a si mesmo.

Todavia, ele gostava do rapaz, e imaginando que ele divertiria sua esposa e filha, convidou-o para ficar em sua casa durante sua estadia na aldeia.

– Muito obrigado – respondeu o jovem. – Mas primeiro gostaria de perguntar se sua casa tem boa estrutura.

O velho fazendeiro, desesperado, deixou-o e entrou em casa rindo.

– Tem um homem aí fora – disse ele, depois de saudar a esposa e a filha. – Ele veio comigo a maior parte do caminho e quero que fique hospedado aqui durante sua estadia na aldeia. Mas é tão tolo que não entendo nada do que diz. Ele quer saber se a casa tem estrutura. O sujeito deve ser louco! – Ele caiu na gargalhada.

– Pai – disse filha do fazendeiro, uma garota muito esperta e sábia. – O homem, seja quem for, não é tão tolo quanto pensa. Ele só deseja saber se temos recursos para recebê-lo.

– Ah! É claro – respondeu o fazendeiro. – Compreendo. Bem, talvez possa me ajudar a resolver alguns de seus outros mistérios. Enquanto caminhávamos juntos, ele me perguntou se eu poderia carregá-lo ou se ele poderia me carregar, pois achou que seria um modo mais agradável de seguir viagem.

– Certamente – disse a garota – ele estava propondo que contassem histórias um ao outro para elevar os ânimos.

– Ah, sim. Bem, estávamos passando por um milharal, e ele me perguntou se estava ou não comido.

– E não entendeu o significado disso, pai? Ele apenas queria saber se o dono tinha dívidas ou não. Porque, caso o dono do milharal estivesse devendo, toda a colheita já estaria comida pelas dívidas, já que todo o lucro iria para seus credores.

– Sim, sim, sim, é claro! Depois, ao entrar em certa aldeia, ele me pediu para pegar sua navalha, conseguir dois cavalos com ela e depois devolvê--la para ele.

– Dois bastões de caminhada não são tão bons quanto dois cavalos para ajudar alguém em uma viagem a pé? Ele só pediu que cortasse algumas varetas e tomasse cuidado para não perder a navalha.

– Compreendo – disse o fazendeiro. – Enquanto passávamos pela cidade, não vimos ninguém e nenhuma boa alma nos ofereceu algo para comer, até que passamos por um cemitério, e lá algumas pessoas nos chamaram e nos deram chapatis e kulchas. Então meu companheiro chamou a cidade de cemitério e o cemitério de cidade.

– Isso também é compreensível, pai. Se alguém pensa na cidade como o lugar em que se obtém tudo, e nos homens hostis como pessoas piores que os mortos, a cidade, embora cheia de gente, era como se estivesse morta. Enquanto no cemitério, repleto de mortos, vocês foram recebidos por amigos gentis e ganharam pão.

– É verdade, é verdade! – disse o fazendeiro, perplexo. – E, agora há pouco, quando estávamos atravessando o riacho, ele passou sem tirar os sapatos e as calças.

– Admiro sua sabedoria – respondeu a garota. – Sempre achei estúpidas as pessoas que se arriscavam na correnteza daquele riacho, pisando naquelas pedras pontiagudas de pés descalços. Um pequeno tropeção e se molhariam da cabeça aos pés. Este seu amigo é um homem muito sábio. Gostaria de conhecê-lo e conversar com ele.

– Muito bem – disse o fazendeiro. – Vou encontrá-lo e trazê-lo aqui.

– Diga a ele, pai, que nossa casa tem boa estrutura. Então ele virá. Vou enviar um presente ao homem para mostrar que temos recursos para hospedá-lo.

Assim, ela chamou um criado e o mandou até o jovem com uma travessa de ghee, doze chapatis, um vidro de leite e a seguinte mensagem: "Amigo, a lua está cheia; o ano tem doze meses e o mar está transbordando de água".

No meio do caminho, o portador dos presentes e da mensagem encontrou seu filho que, vendo o que havia na cesta, suplicou que seu pai lhe desse um pouco da comida. O pai, imprudentemente, cedeu. Depois ele encontrou o jovem e lhe entregou o restante do presente e a mensagem.

– Transmita meus agradecimentos à sua senhora – respondeu ele. – E lhe diga que a lua está nova, que só pude encontrar onze meses no ano e o mar está longe de estar cheio.

Sem entender o significado daquelas palavras, o criado as repetiu uma a uma, conforme as havia escutado, à sua senhora. Assim, o roubo foi descoberto e ele foi severamente punido. Depois de um tempo, o jovem apareceu com o velho fazendeiro. Todos lhe deram muita atenção, e ele foi tratado como se fosse filho de um grande homem, embora seu humilde anfitrião não soubesse nada a respeito de sua origem. Por fim, ele contou a eles tudo, sobre a risada do peixe, sobre a ameaça de execução de seu pai e seu próprio exilio, e lhes pediu conselhos a respeito do que fazer.

– A risada do peixe – disse a garota, – que parece ter sido a causa de todo o problema, indica que há um homem no palácio tramando contra a vida do rei.

– Que alegria! – exclamou o filho do vizir. – Ainda dá tempo de eu voltar, salvar a vida de meu pai de uma morte desonrosa e injusta e ainda alertar o rei sobre o perigo.

No dia seguinte, ele voltou às pressas ao seu país, levando consigo a filha do fazendeiro. Ao chegar, correu de imediato ao palácio e informou seu pai sobre o que havia descoberto. O pobre vizir, já quase morto na expectativa de ser executado, foi rapidamente levado até o rei, a quem repetiu a informação que seu filho havia trazido.

– Nunca! – disse o rei.

– Mas só pode ser isso, vossa majestade – respondeu o vizir. – E para provar a veracidade do que ouvi, suplico que reúna todas as criadas do palácio e ordene que saltem sobre um fosso que deve ser cavado. Logo descobriremos se há algum homem entre elas.

O rei mandou cavar o fosso e ordenou que todas as criadas do palácio tentassem pular de um lado a outro. Todas tentaram, mas apenas uma conseguiu. E se descobriu que se tratava de um homem!

Assim, a rainha ficou satisfeita e o leal vizir se salvou.

Depois, assim que foi possível, o filho do vizir se casou com a filha do velho fazendeiro e eles foram muito felizes.

O demônio do cabelo emaranhado

O professor contou em Jetavana esta história sobre um irmão que tinha deixado de lutar por justiça. O professor lhe perguntou:

– É verdade que desistiu de lutar?

– Sim, mestre – respondeu ele.

Então o professor disse:

– Irmão, antigamente os homens sábios se esforçavam quando era necessário se esforçar, e assim obtinham um poder real.

E lhe contou uma história de muito tempo atrás.

Há muito tempo, quando Brahmadatta era rei de Benares, o bodisatva nasceu como filho da rainha. No dia em que seria decidido seu nome, perguntaram a oitocentos brâmanes, após satisfazê-los com tudo o que desejavam, sobre as marcas de nascença da criança. Os brâmanes que tinham dons divinatórios declararam a excelência dele e responderam:

– Grande monarca, seu filho é cheio de bondade. Quando vossa majestade morrer, ele será rei. Será famoso e reconhecido por suas habilidades com as cinco armas e governará todos os homens da Índia.

Após ouvirem o que os brâmanes tinham a dizer, eles o chamaram de Príncipe das Cinco Armas: espada, lança, arco, machado de guerra e escudo.

Quando completou dezesseis anos, o rei lhe disse:

– Meu filho, vá finalizar seus estudos.

– Quem deve ser meu professor? – perguntou o rapaz.

– Vá, meu filho. No reino de Candaar, na cidade de Taxila, há um célebre professor com quem deve aprender. Pegue isto e dê a ele como pagamento.

Com isso, entregou-lhe mil moedas e se despediu dele.

O rapaz partiu e foi educado por tal professor. Recebeu as Cinco Armas como presentes dele, despediu-se e, deixando Taxila, começou sua jornada até Benares, armado com as Cinco Armas.

No caminho, chegou a uma floresta habitada pelo Demônio do Cabelo Emaranhado. Ao entrar na floresta, alguns homens o viram e gritaram:

– Ei, jovem senhor. Afaste-se do bosque! Há um demônio aí, a quem chamam de Demônio do Cabelo e Emaranhado. Ele mata todos os homens que encontra!

Eles tentaram impedi-lo, mas o bodisatva, tendo confiança em si, seguiu adiante, destemido como um leão.

Quando chegou no meio da floresta, o demônio apareceu diante dele. Era alto como uma palmeira, tinha a cabeça do tamanho de um pagode, olhos grandes como pires e dois caninos cheios de saliências e bulbos. Tinha a cara de um falcão, ventre variegado e pés e mãos azuis.

– Aonde vai? – gritou ele. – Pare! Será minha refeição!

O bodisatva disse:

– Demônio, vim até aqui por confiar em mim mesmo. Aconselho que tenha cuidado ao se aproximar de mim. Tenho aqui uma flecha envenenada, que atirarei em você para derrubá-lo!

Com a ameaça, encaixou no arco uma flecha cuja ponta havia sido mergulhada em um veneno fatal e a disparou. A flecha ficou presa nos cabelos do demônio. Ele atirou sem parar, chegando a disparar cinquenta flechas; e todas ficaram presas nos cabelos do demônio, que as arrancou e jogou no chão. Então o bodisatva desembainhou a espada e acertou o demônio, ameaçando-o. A espada, de oitenta e quatro centímetros, ficou presa nos cabelos do demônio! O bodisatva o golpeou com a lança que também ficou presa! Ele o acertou com seu bastão, que ficou preso também!

Quando o bodisatva viu tudo ali enterrado, dirigiu-se ao demônio.

– Ei, demônio – disse ele. – Nunca ouviu falar de mim, o Príncipe das Cinco Armas? Quando entrei na floresta em que vive, não confiei em meu arco nem nas outras armas. Hoje, eu o derrotarei e o transformarei em pó.

Assim, ele declarou sua decisão e, com um grito, acertou o demônio com a mão direita. Ela ficou completamente presa em seus cabelos! Ele o golpeou com a mão esquerda, que também ficou presa! Com o pé direito, ele o chutou, e o pé acabou preso também; depois, com o esquerdo, que também se prendeu! Então bateu nele com a cabeça, gritando:

– Eu o transformarei em pó.

E sua cabeça ficou presa ali como o restante.

Assim, o bodisatva foi cinco vezes aprisionado e ficou atado por cinco pontos, pendurado. Mas não teve medo. Nem mesmo estava nervoso.

O demônio pensou: "Este homem é um leão! É um nobre! Mais do que um homem! Cá está ele, aprisionado por um demônio como eu, sem sentir medo algum. Desde que aterrorizo esta região, nunca vi um homem assim. Mas por que não tem medo?"

Era incapaz de comer o homem, então lhe perguntou:

– Jovem senhor, porque não tem medo de morrer?

– Por que devo temer, demônio? – respondeu ele. – Um homem só pode morrer uma vez na vida. Além disso, tenho um raio na barriga. Se me comer, não conseguirá digeri-lo; ele rasgará suas entranhas em pedacinhos e o matará, e ambos morreríamos. Por isso não temo nada. – O raio a que o bodisatva se referira era a arma do conhecimento que levava dentro de si.

Ao ouvir aquilo, o demônio pensou: "Este jovem está falando a verdade. Um pedaço da carne de um homem tão valente como ele seria muito difícil de digerir, mesmo que fosse do tamanho de um feijão. Eu o deixarei ir!".

Morrendo de medo, ele libertou o bodisatva, dizendo:

– Jovem senhor, é valente como um leão! Não o comerei. Eu o liberto de minhas mãos como a Lua é liberada das mandíbulas de Rahu após o eclipse. Volte para a companhia de seus amigos e parentes!

E o bodisatva disse:

– Demônio, farei o que diz. Nasceu um demônio, cruel, sugador de sangue, devorador de carne porque foi perverso em outras vidas. Se continuar agindo com perversidade, passará de uma escuridão a outra. Mas agora que me conheceu, achará impossível ser tão cruel. Tirar a vida de seres vivos causa o nascimento como animal no mundo de Petas, ou no corpo de um Asura. Ou, se renascer como homem, terá vida curta.

Com este e outros avisos de mesmo teor, ele falou das desvantagens dos cinco tipos de maldade, dos benefícios dos cinco tipos de virtudes, assustando o demônio de várias formas, discursando até o subjugar e o convencer a buscar os cinco tipos de virtudes. Ele o fez adorar a divindade a quem eram feitas oferendas naquele bosque e, depois de muitos conselhos, foi embora.

Na entrada da floresta, contou tudo às pessoas que estavam nas proximidades; e prosseguiu para Benares, armado com suas cinco armas. Depois, tornou-se rei e governou com justiça. Após uma vida dando esmolas e fazendo caridade, faleceu em conformidade com seus feitos.

* * *

E o professor, quando terminou de contar a história, alcançou a iluminação e repetiu os seguintes versos:

Quem de todo desejo se liberta,
E busca a paz vivendo na virtude,
No momento certo cortará os laços
Que o afastam da vida em plenitude.

Assim, o professor alcançou o ápice, por meio da santidade e dos ensinamentos da lei, e em seguida declarou as Quatro verdades. Depois disso, este irmão também chegou à santidade. E o professor fez a conexão e lhe mostrou a chave da história, dizendo: "Naquela época, Angulimala era o demônio, e o Príncipe das Cinco Armas era eu mesmo".

A cidade de marfim e sua princesa fada

Certo dia, um jovem príncipe estava praticando arco e flecha com o filho do vizir de seu pai, quando uma das flechas acertou acidentalmente a esposa de um mercador, que se encontrava no andar de cima de uma casa próxima. O príncipe mirou em um pássaro que estava empoleirado no parapeito da janela do cômodo em que ela estava, e não fazia ideia de que havia alguém por perto, ou não teria disparado naquela direção. Assim, sem saber o que havia acontecido, ele e o filho do vizir foram embora rindo e fazendo troça.

Pouco depois, o mercador foi perguntar alguma coisa à esposa e a encontrou caída no meio da sala, aparentando estar morta, e uma flecha fincada no chão a meio metro de sua cabeça. Supondo que estava morta, ele correu para a janela e berrou:

– Ladrões, ladrões! Eles mataram minha esposa.

Os vizinhos rapidamente se reuniram, e os criados subiram as escadas correndo para ver o que havia ocorrido. Acontece que a mulher tinha desmaiado e estava apenas com um ferimento leve no seio, onde a flecha havia passado de raspão.

Assim que a mulher recuperou os sentidos, contou a todos que dois jovens haviam passado por ali com arcos e flechas, e que um deles tinha mirado nela deliberadamente, quando estava perto da janela.

Ao ouvir aquilo, o mercador foi até o rei e lhe contou o ocorrido. Sua majestade ficou furioso com tamanha maldade e jurou que uma terrível punição seria aplicada ao culpado, caso fosse encontrado. Ele pediu que o mercador voltasse e se assegurasse de que sua esposa seria capaz de reconhecer os jovens se os visse novamente.

– Ah, sim – respondeu a mulher. – Eu os reconheceria no meio de todos os habitantes da cidade.

– Então – disse o rei quando o mercador retornou com a resposta –, amanhã farei com que todos os habitantes do sexo masculino desta cidade passem diante de sua casa, e sua esposa ficará na janela e ficará atenta ao homem que cometeu tamanha maldade.

Um decreto real foi emitido, de modo que, no dia seguinte, todos os homens e meninos da cidade, a partir dos dez anos de idade, reuniram-se e passaram pela casa do mercador. Por acaso (pois ambos haviam sido dispensados de obedecer aquela ordem), o filho do rei e o do vizir também estavam no grupo e passaram com a multidão. Eles tinham ido ver o alvoroço.

Assim que aqueles dois apareceram na frente da janela do mercador, foram reconhecidos pela esposa e o rei foi avisado imediatamente.

– Meu próprio filho e o do meu vizir! – exclamou o rei, que estava ali presente desde o início. – Que exemplo para o povo! Que sejam ambos executados.

– Não faça isso, vossa majestade – disse o vizir. – Eu lhe rogo. Primeiro investigaremos o caso cuidadosamente. O que acha? – ele continuou, virando-se para os dois jovens: – Por que fizeram algo tão cruel?

– Eu disparei uma flecha em um pássaro que estava no parapeito de uma janela aberta daquela casa, mas errei o alvo – respondeu o príncipe. – Suponho que a flecha tenha atingido a esposa do mercador. Se soubesse que ela, ou qualquer pessoa, estivesse por perto, não teria disparado naquela direção.

– Falaremos disso depois – disse o rei ao ouvir a resposta. – Dispensem o povo. Sua presença não é mais necessária.

À noite, o rei e o vizir tiveram uma conversa longa e franca sobre seus filhos. O rei queria que os dois fossem executados, mas o vizir sugeriu que o príncipe fosse banido do país. Foi isso que, por fim, ficou acordado.

Assim, na manhã seguinte, um pequeno grupo de soldados escoltou o príncipe para fora da cidade. Quando chegaram à última alfândega, o filho do vizir os alcançou, levando quatro bolsas de moedas e ouro e quatro cavalos.

– Eu vim – disse ele, envolvendo o pescoço do príncipe com os braços –, porque não podia deixar que fosse sozinho. Vivemos juntos, seremos exilados juntos e morreremos juntos. Se me ama, não me mande voltar.

– Pense bem – respondeu o príncipe – no que está fazendo. Todos os tipos de provação me aguardam. Por que deixaria sua casa e seu país para estar comigo?

– Porque eu te amo e nunca serei feliz sem você – respondeu ele.

Então os dois amigos caminharam juntos de mãos dadas e saíram do país o mais rápido que puderam. Atrás deles marchavam os soldados, os cavalos e seus bens de valor. Ao chegar perto do limite dos domínios do rei, o príncipe deu algum ouro aos soldados e ordenou que retornassem. Eles pegaram o dinheiro e foram embora. No entanto, não foram muito longe, pois se esconderam atrás das rochas e esperaram até ter certeza de que o príncipe não pretendia voltar.

Os exilados seguiram caminhando até chegarem a uma aldeia, onde decidiram passar a noite sob uma grande árvore. O príncipe fez uma fogueira e organizou os poucos artigos de dormir que haviam levado, enquanto o filho do vizir foi aos baneanes, ao padeiro e ao açougueiro para comprar algo para o jantar. Por algum motivo, ele se demorou; talvez o pão não estivesse pronto, ou os baneanes não tivessem todas as especiarias. Depois de esperar meia hora, o príncipe ficou impaciente, levantou-se e foi atrás dele.

Ele viu um riacho bem limpo que corria não muito longe do local onde eles descansavam. O som de sua fonte não parecia distante, então decidiu procurá-la. O rio tinha origem em um lindo lago, que naquele momento estava coberto com bonitas flores de lótus e outras plantas aquáticas. O príncipe se sentou na margem e pegou um pouco de água com as mãos para matar a sede. Felizmente, olhou para as mãos antes de beber e lá, para sua grande surpresa, viu o reflexo nítido de uma bela fada. Ele se virou, esperando ver a imagem real. Como não viu nada, bebeu a água e pegou um pouco mais. Novamente, viu o reflexo na água que tinha na palma das mãos. Olhou em volta como antes e dessa vez viu uma fada sentada na margem oposta do lago. Ao vê-la, apaixonou-se tão perdidamente que desmaiou.

Quando o filho do vizir voltou e encontrou o fogo aceso, os cavalos amarrados e as bolsas de moedas empilhadas, porém nenhum sinal do príncipe, não soube o que pensar. Esperou um pouco mais e depois gritou por ele. Não recebendo nenhuma resposta, levantou-se e foi até riacho. Lá, viu as pegadas do amigo. Com isso, voltou rapidamente para pegar o dinheiro e os cavalos e, levando-os consigo, seguiu o rastro do príncipe até o lago, onde o encontrou caído, aparentando estar morto.

– Ai de mim! Que infelicidade! – gritou ele. Levantando o príncipe, ele jogou um pouco de água sobre sua cabeça e seu rosto. – Ai de mim! Meu irmão, o que aconteceu? Ah! Não morra e me deixe aqui. Fale, fale! Não consigo suportar!

Em poucos minutos, o príncipe, reanimado pela água, abriu os olhos e ficou procurando freneticamente ao redor.

– Graças a Deus! – exclamou o filho do vizir. – O que aconteceu, irmão?

– Vá embora – respondeu o príncipe. – Não quero falar com você nem vê-lo. Vá embora.

– Venha, venha. Vamos sair daqui. Veja, trouxe comida para você, os cavalos e todo o resto. Vamos comer e partir.

– Vá sozinho – respondeu o príncipe.

– Jamais – disse o filho do vizir. – O que aconteceu para que de repente queira se afastar de mim? Há pouco éramos como irmãos, mas agora nem suporta olhar para mim.

– Eu vi uma fada – disse o príncipe. – Mas só vi seu rosto por um instante. Quando ela notou que eu estava olhando, cobriu-o com pétalas de lótus. Ah, como era bela! E enquanto eu a observava, ela tirou uma caixa de marfim que levava entre os seios e a entregou a mim. E eu desmaiei. Ah! Se conseguir que aquela fada se torne minha esposa, irei com você a qualquer lugar.

– Ah, irmão – disse o filho do vizir. – De fato viu uma fada. É a fada das fadas. Nada menos que Gulizar, da Cidade de Marfim. Sei disso pelos sinais que ela lhe deu. Por ter coberto o rosto com pétalas de lótus, soube seu nome. E por ter lhe mostrado a caixa de marfim, soube onde mora. Seja paciente e tenha certeza de que conseguirei que se case com ela.

Quando o príncipe ouviu aquelas palavras de encorajamento, sentiu-se consolado e se levantou. Comeu e partiu alegremente com seu amigo.

No caminho, conheceram dois homens.

Eles pertenciam a uma família de ladrões. Ao todo, eram em onze. A irmã mais velha ficava em casa e preparava a comida, e os outros dez, todos homens, saíam, de dois em dois, e vagavam pelos quatro cantos daquele país, assaltando os viajantes que não ofereciam resistência e convidando os outros, fortes demais para serem dominados por dois homens, a irem descansar em sua casa, onde toda a família os atacava e roubava seus pertences. Esses ladrões viviam em uma espécie de torre com várias salas fortificadas, sob a qual ficava um grande fosso onde eles jogavam os corpos dos pobres desafortunados que caíam em suas mãos.

Os dois homens se aproximaram e abordando-os com educação, suplicaram que passassem a noite em sua casa.

– Está tarde – disseram. – E não há nenhuma outra aldeia em um raio de muitos quilômetros.

– Devemos aceitar o convite deste bom homem, irmão? – perguntou o príncipe.

O filho do vizir franziu um pouco o cenho em sinal de reprovação; mas o príncipe estava cansado e, achando que se tratava apenas de um capricho do amigo, disse aos homens:

– Muito bem. Foram muito gentis em nos convidar.

E os quatro foram à torre dos ladrões.

Quando se viram trancados em uma sala, os dois viajantes lastimaram seu destino.

– Não adianta lamentar – disse o filho do vizir. – Vou subir na janela e ver se há algum modo de escapar. Sim! Sim! – sussurrou ele quando chegou à abertura da janela. – Aqui embaixo há uma vala cercada por um muro alto. Saltarei para inspecionar. Fique aqui e aguarde meu retorno.

Ele logo voltou e disse ao príncipe que havia visto uma mulher muito feia, que supôs ser a empregada dos ladrões. Ela havia concordado em soltá-los em troca da promessa de que se casaria com o príncipe.

A mulher mostrou-lhes uma porta secreta que lhes permitiria sair do confinamento.

– Mas onde estão os cavalos e nossos pertences? – perguntou o filho do vizir.

– Não poderão levá-los – afirmou a mulher. – Sair por qualquer outro lugar seria como ir direto para o túmulo.

– Está bem. Então eles também devem sair por esta porta. Tenho um encanto que pode torná-los menores ou maiores.

O filho do vizir pegou os cavalos sem ninguém ver e, repetindo o encanto, fez com que passassem pela estreita porta como pedaços de tecido. Quando estavam do lado de fora, retomaram à condição anterior. Ele montou em seu cavalo e segurou no cabresto de outro. Fazendo sinal para que o príncipe fizesse o mesmo, saiu cavalgando. O príncipe viu sua oportunidade e em instantes estava galopando atrás dele com a mulher na garupa.

Os ladrões ouviram o barulho dos cavalos, saíram e dispararam flechas contra o príncipe e seus companheiros. Uma das flechas matou a mulher, de modo que tiveram que deixá-la para trás.

Eles cavalgaram e cavalgaram até chegarem a uma aldeia, onde passaram a noite. Na manhã seguinte, partiram novamente, perguntando pela Cidade de Marfim a todos os transeuntes. Um longo tempo depois, chegaram à famosa cidade e pararam em uma pequena cabana que pertencia a uma anciã que não lhes oferecia perigo e com quem, portanto, poderiam ficar em paz e com conforto. A princípio, a anciã não gostou da ideia de ter aqueles viajantes em sua casa, mas quando viu uma moeda de ouro que o príncipe deixou no fundo de um copo no qual ela lhe servira água, e ao receber outra do filho do vizir, rapidamente mudou de ideia. Ela concordou em deixar que ficassem por alguns dias.

Quando terminou de trabalhar, a anciã sentou-se com seus hóspedes. O filho do vizir fingiu ignorar completamente tudo sobre aquele lugar e seu povo.

– Esta cidade tem nome? – perguntou ele à mulher.

– É claro que tem, seu tolo. Até as pequenas aldeias têm nome, quanto mais uma cidade como esta.

– E qual é?

– Cidade de Marfim. Não sabia? Pensei que fosse um nome conhecido no mundo todo.

À menção do nome Cidade de Marfim, o príncipe suspirou profundamente. O filho do vizir olhou para ele como se dissesse: "Fique quieto ou revelará nosso segredo".

– Esta região tem rei? – perguntou o filho do vizir.

– É claro que sim e também uma rainha e uma princesa.

– Como se chamam?

– A princesa se chama Gulizar e a rainha…

O filho do vizir interrompeu a anciã e se virou para o príncipe, que a encarava como um louco.

– Sim – disse ele ao outro mais tarde. – Estamos no lugar certo. Veremos a bela princesa.

Uma manhã, os dois viajantes notaram que a anciã se arrumava com muito esmero, penteava os cabelos com capricho e os enfeitava.

– Vai receber alguém? – perguntou o filho do vizir.

– Não – respondeu a mulher.

– Então aonde vai?

– Visitar minha filha, dama de companhia da princesa Gulizar. Eu as visito todos os dias. Teria ido ontem, se não tivessem aparecido aqui e tomado todo meu tempo.

– Ah! Cuide para não dizer nada sobre nós na frente da princesa.

O filho do vizir pediu que ela não falasse sobre eles no palácio, esperando que, só por ter sido proibida, ela mencionasse a chegada deles à princesa.

Ao ver a mãe, a garota fingiu estar muito zangada.

– Por que ficou dois dias sem aparecer? – perguntou ela.

– Porque, minha querida – respondeu a anciã –, dois jovens viajantes, um príncipe e o filho de um grande vizir, estão hospedados em minha casa e demandam muita atenção. Não paro de cozinhar e limpar, limpar e cozinhar, o dia todo. Não consigo entender aqueles homens – acrescentou ela. – Um deles parece especialmente tolo. Ele me perguntou o nome desta região e do rei daqui. De onde vieram, que não sabem essas coisas? No entanto, são muito importantes e ricos. Cada um me dá uma moeda de ouro toda manhã e toda noite.

Depois, a anciã repetiu quase as mesmas palavras à princesa. Ao ouvir aquilo, a princesa lhe deu uma surra e a ameaçou com uma punição mais severa se voltasse a falar daqueles forasteiros em sua frente.

À noite, quando a mulher voltou à cabana, disse ao filho do vizir que sentia muito por ter quebrado a promessa e contou que a princesa a surrara por ter falado sobre eles na frente dela.

– Ai de mim! – exclamou o príncipe que havia escutado tudo com muita atenção. – O quanto se zangará ao me ver em pessoa?

– Zangar-se? – disse o filho do vizir em tom perplexo. – Ela ficará muito feliz em vê-lo. Sei disso. Pela forma com que tratou a anciã, enxergo um pedido que vá visitá-la na próxima lua minguante.

– Que o céu seja louvado! – exclamou o príncipe.

Quando a anciã voltou ao palácio, Gulizar chamou uma de suas criadas e ordenou que entrasse em seus aposentos às pressas quando ela estivesse conversando com a anciã. Se a mulher lhe perguntasse qual era o problema, ela devia dizer que os elefantes do rei tinham enlouquecido e estavam soltos pela cidade, destruindo tudo pelo caminho.

A criada obedeceu, e a anciã, temendo que os elefantes derrubassem sua cabana e matassem o príncipe e seu amigo, suplicaram que a princesa a deixasse ir embora. Gulizar tinha um balanço encantado que levava quem se sentasse nele para qualquer lugar que desejasse.

– Pegue o balanço – disse ela para uma criada. Em seguida, pediu que a anciã subisse nele e desejasse estar em casa.

Ela obedeceu e logo foi carregada rapidamente e em segurança até sua cabana, onde encontrou os dois hóspedes sãos e salvos.

– Ah! – exclamou ela. – Achei que vocês dois estariam mortos a esta altura. Os elefantes do rei escaparam e estão vagando desenfreadamente. Quando fiquei sabendo, preocupei-me com vocês. Então a princesa me entregou este balanço encantado para regressar. Vamos lá para fora antes que os elefantes cheguem e derrubem a cabana.

– Não acredite nisso – disse o filho do vizir. – Não passa de um boato. Estão lhe pregando uma peça. Logo terá o que seu coração deseja – sussurrou ele ao príncipe. – Essas coisas são sinais.

Dois dias depois da lua minguante, o príncipe e o filho do vizir sentaram-se no balanço e desejaram estar nas dependências do palácio. Chegaram em um instante. E lá também estava o objeto de sua busca, parada em um dos portões, desejando ver o príncipe tanto quanto ele desejava vê-la.

Ah, que encontro mais feliz!

– Finalmente – disse Gulizar. – Encontrei meu amado, meu marido.

– Agradeço mil vezes ao céu por me trazer até você – disse o príncipe.

Então o príncipe e Gulizar ficaram noivos. Mais tarde, um voltou à cabana e a outra ao palácio, ambos mais felizes do que nunca.

Daquele dia em diante, o príncipe visitava Gulizar todos os dias e voltava à cabana todas as noites. Uma manhã, Gulizar lhe implorou que ficasse sempre com ela. Temia constantemente que algo de ruim acontecesse a ele, que ladrões o matasse ou fosse acometido por alguma doença. Não poderia viver sem vê-lo. O príncipe lhe mostrou que não havia motivos para temer e disse que se sentia na obrigação de voltar à companhia do amigo à noite, porque ele havia deixado sua casa, seu país e arriscado a vida por ele. Além disso, sem a ajuda do amigo, nunca a teria encontrado.

Gulizar se conformou por ora, mas estava determinada a se livrar do filho do vizir o quanto antes. Alguns dias após àquela conversa, ordenou que uma das criadas preparasse um pouco de arroz. Deu instruções especiais para que certo veneno fosse misturado a ele durante o cozimento e que, assim que ficasse pronto, a panela fosse tampada para que o vapor venenoso não se dissipasse. Quando o prato ficou pronto, mandou-o imediatamente ao filho do vizir, por meio de um criado, com a seguinte mensagem: "A princesa Gulizar lhe envia esta oferenda em honra de seu falecido tio".

Ao receber o presente, o filho do vizir pensou que o príncipe havia falado bem dele à princesa e, portanto, ela tinha se lembrado dele. Assim, pediu ao criado que lhe transmitisse seus agradecimentos.

Quando chegou a hora do jantar, ele pegou a panela de arroz e foi comer perto do riacho. Tirando a tampa, colocou-a sobre a grama e foi lavar as mãos. Durante os poucos minutos que passou realizando a ablução, a grama verde sob a tampa da panela ficou amarelada. Ele ficou perplexo e, suspeitando que houvesse veneno no arroz, pegou um pouco e jogou a alguns corvos que passavam por ali. Os corvos comeram e caíram mortos no mesmo instante.

– Louvado seja o céu que me livrou da morte! – exclamou o vizir.

À noite, quando o príncipe regressou, o filho do vizir estava muito reticente e deprimido. O príncipe notou as mudanças no amigo e perguntou qual seria o motivo.

– É porque estou o tempo todo no palácio?

O filho do vizir viu que o amigo não tinha nada a ver com o envio do arroz e então lhe contou tudo.

– Veja só – disse ele. – Guardei neste lenço um pouco do arroz que a princesa me mandou em honra de seu falecido tio. Está cheio de veneno. Graças ao céu eu descobri a tempo!

– Ah, irmão! Quem pode ter feito uma coisa dessas? Quem lhe demonstra inimizade?

– A princesa Gulizar. Ouça. Da próxima vez que se encontrar com ela, eu lhe rogo que leve um bocado de neve e, logo antes de vê-la, coloque um pouco nos olhos. Isso provocará lágrimas, e Gulizar perguntará porque está chorando. Diga que chora a perda de seu amigo, que morreu subitamente pela manhã. Leve também este vinho e esta pá, e após fingir uma dor intensa pela morte de seu amigo, peça para a princesa tomar um pouco de vinho. É forte e ela logo dormirá profundamente. Enquanto ela estiver dormindo, aqueça a pá e marque as costas dela. Lembre-se de trazer a pá de volta, e também pegue o colar de pérolas dela. Isto feito, retorne. Não tenha receio de seguir estas instruções, porque do cumprimento delas dependem seu futuro e sua felicidade. Eu me ocuparei das providências para que seu casamento com a princesa seja aceito pelo rei, seu pai, e toda a corte.

O príncipe prometeu que faria tudo de acordo com os conselhos do filho do vizir; e cumpriu sua promessa.

Na noite seguinte, quando o príncipe voltou de sua visita a Gulizar, ele e o filho do vizir, pegando os cavalos e bolsas de moedas de ouro, foram a um cemitério que ficava pouco mais de um quilômetro e meio de distância. Eles combinaram que o filho do vizir faria o papel de um faquir, e o príncipe atuaria como seu discípulo e criado.

Pela manhã, quando Gulizar recobrou os sentidos, sentiu uma dor lancinante nas costas e notou que seu colar de pérolas tinha desaparecido. Ela foi imediatamente informar ao rei sobre a perda do colar, mas não disse nada sobre a dor nas costas.

O rei ficou muito zangado ao saber do roubo e ordenou que toda a cidade e regiões vizinhas fossem investigadas.

– Muito bem – disse o filho do vizir ao saber da ordem do rei. – Não tema, meu irmão. Pegue este colar e tente vendê-lo no bazar.

O príncipe ofereceu o colar para que um ourives o comprasse.

– Quanto quer por ele? – perguntou o homem.

– Cinquenta mil rupias – respondeu o príncipe.

– Está bem, espere aqui enquanto vou buscar o dinheiro.

O príncipe esperou e esperou até que o ourives voltou, trazendo junto o kotwal, que o prendeu sob a acusação de ter roubado o colar da princesa.

– Como conseguiu este colar? – perguntou o kotwal.

– Um faquir, de quem sou criado, entregou-me para vender no bazar – respondeu o príncipe. – Se me permitir, eu o levo até ele.

O príncipe conduziu o kotwal e o policial ao lugar onde havia deixado o filho do vizir e eles encontraram o faquir com os olhos fechados, ocupado com suas orações. Assim que terminou de rezar, o kotwal pediu que explicasse como havia obtido o colar da princesa.

– Chame o rei aqui – respondeu ele –, e eu contarei à sua majestade pessoalmente.

Alguns homens foram até o rei e lhe contaram o que o faquir havia dito. Sua majestade foi até lá e, vendo o faquir tão solene e dedicado a suas devoções, teve medo de despertar sua ira e porventura o desgosto do céu recair sobre ele. Assim, juntou as mãos, no gesto de um suplicante, e perguntou:

– Como conseguiu o colar de minha filha?

– Ontem à noite – respondeu o faquir – estávamos aqui perto deste túmulo rezando para khuda quando um demônio vestido de princesa apareceu, exumou um corpo que havia sido enterrado alguns dias antes e começou a comê-lo. Ao vê-lo, fui tomado pela fúria e acertei suas costas com uma pá que havia ficado sobre o fogo. Enquanto fugia de mim, seu colar se soltou e caiu. Talvez esteja surpreso, mas não é difícil provar o que falo. Examine sua filha e encontrará as marcas da queimadura em suas costas. Vá, e se comprovar o que eu disse, mande a princesa aqui e eu a castigarei.

O rei voltou ao palácio e imediatamente mandou que as costas da princesa fossem examinadas.

– É verdade – disse a dama de companhia. – A queimadura está lá.

– Então a garota deve ser assassinada imediatamente – gritou o rei.

– Não, não, vossa majestade – responderam. – Nós·a enviaremos ao faquir que fez a descoberta, e ele que faça o que desejar com ela.

O rei concordou, e a princesa foi levada para o cemitério.

– Tranquem-na em uma jaula e a deixem perto do túmulo de onde tirou o cadáver – disse o faquir.

Seu pedido foi obedecido e em pouco tempo o faquir, seu discípulo e a princesa foram deixados a sós no cemitério. Não fazia muito que a noite cobrira o cenário com seu manto escuro quando o faquir e seu discípulo tiraram os disfarces e, pegando seus cavalos e pertences, apareceram diante da jaula. Libertaram a princesa, esfregaram unguento nas cicatrizes de suas costas e a colocaram na garupa do cavalo do príncipe. Eles galoparam para longe em alta velocidade e pela manhã puderam descansar e conversar em segurança sobre seus planos. O filho do vizir mostrou à princesa um pouco do arroz envenenado que ela lhe havia mandado e perguntou se estava arrependida de sua ingratidão. A princesa chorou e reconheceu que ele havia sido um grande ajudante e amigo.

Uma carta foi enviada ao vizir, contando tudo o que havia acontecido com o príncipe e com seu filho desde que se foram do país. Quando o vizir leu a carta, informou tudo ao rei. O rei mandou uma resposta aos dois exilados, na qual ordenava que não retornassem, mas que enviassem uma carta ao pai de Gulizar contando tudo. Assim o fizeram. O príncipe escreveu a carta que lhe ditou o filho do vizir.

Ao ler a carta, o pai de Gulizar ficou muito furioso com seus vizires e outros oficiais por não terem descoberto a presença daqueles ilustres visitantes em seu país, já que estava especialmente ansioso por cair nas boas graças do príncipe e do filho do vizir. Ordenou a execução de alguns dos vizires.

Ele escreveu em resposta ao filho do vizir: "Venham e fiquem no palácio. Se o príncipe assim desejar, providenciarei seu casamento com Gulizar o quanto antes".

O príncipe e o filho do vizir aceitaram o convite com satisfação e receberam uma recepção calorosa por parte do rei. O casamento logo se realizou, depois de algumas semanas, o rei os presenteou com cavalos, elefantes, joias e tecidos finos e pediu que partissem para sua terra, pois tinha certeza de que agora o rei os receberia. Na noite anterior à partida, os vizires e os outros que o rei pretendia executar assim que os visitantes se fossem suplicaram para que o filho do vizir intercedesse por eles, e cada um lhe prometeu a mão de uma filha em casamento. Ele concordou e conseguiu obter o perdão do rei.

Então o príncipe, com sua bela noiva Gulizar, o filho do vizir, acompanhados de uma tropa de soldados e um grande número de camelos e cavalos, além de muitos tesouros, partiram para sua terra. No meio do caminho, passaram pela torre dos ladrões. Com a ajuda dos soldados, eles a destruíram, mataram todos os seus moradores e tomaram as riquezas que haviam sido acumuladas ali durante vários anos.

Por fim, chegaram ao seu país. Quando o rei viu a bela esposa de seu filho e seu majestoso séquito, reconciliaram-se de imediato. Ele ordenou que o filho entrasse na cidade e ficasse vivendo ali.

A partir de então, o caminho do príncipe foi sempre repleto de felicidade. Ele se tornou o favorito do rei e, no tempo certo, sucedeu-o no trono e governou o país por muitos e muitos anos de paz e alegrias.

Como Sol, Lua e Vento saíram para jantar

Um dia, Sol, Lua e Vento saíram para jantar com seus tios Trovão e Raio. A mãe (uma das estrelas mais distantes que se pode ver no céu) ficou sozinha esperando o retorno dos filhos.

Tanto Sol quanto Vento eram avarentos e egoístas. Desfrutaram do grande banquete que havia sido preparado para eles, sem pensar em guardar algo para levar para a mãe, mas a gentil Lua não se esquecia dela. De cada saboroso prato que era servido, ela guardava uma pequena porção sob uma de suas belas e longas unhas, para que a Estrela também recebesse uma parte das delícias.

Quando regressaram, a mãe, que os havia esperado a noite toda com seu pequeno olho brilhante aberto, disse:

– Bem, filhos, o que trouxeram para mim?

Sol (que era o mais velho) disse:

– Eu não lhe trouxe nada. Saí para me divertir com meus amigos e não para trazer o jantar para minha mãe!

E Vento disse:

181

– Também não lhe trouxe nada, mãe. Não pode esperar que eu lhe traga um monte de coisas boas sempre que saio para me entreter.

Mas Lua disse:

– Mãe, pegue um prato. Veja o que eu lhe trouxe. – Ela sacudiu as mãos e delas caíram um seleto jantar como nunca visto antes.

Então Estrela se virou para Sol e disse:

– Por ter saído para se divertir com seus amigos, jantado e desfrutado de tudo sem nem pensar em sua mãe que estava em casa, será amaldiçoado. De agora em diante, seus raios serão tão quentes e abrasadores que queimarão tudo o que tocarem. E os homens o odiarão e cobrirão a cabeça quando você aparecer.

(E é por isso que o Sol é tão quente até hoje.)

Depois ela se virou para Vento e disse:

– Você também se esqueceu de sua mãe em meio aos seus prazeres egoístas. Eis a sua maldição. Soprará sempre em climas quentes e secos e ressecará e fará se encolherem todos os seres vivos. E os homens o detestarão e evitarão de agora em diante.

(E é por isso que o vento, em climas quentes, continua sendo tão desagradável.)

Mas, para a Lua, ela disse:

– Filha, por ter se lembrado de sua mãe e guardado para ela uma parte de seu próprio deleite, a partir de agora será sempre fria, calma e iluminada. Nenhum brilho nocivo acompanhará seus raios puros, e os homens sempre a considerarão "bendita".

(E é por isso que o luar é tão suave, sereno e belo até os dias de hoje.)

Como os filhos malvados foram ludibriados

Um rico ancião, imaginando estar à beira da morte, mandou chamar os filhos e dividiu sua propriedade entre eles. No entanto, só foi morrer muitos anos depois; anos estes muito infelizes. Além do desgaste da própria idade, o velho teve que suportar diversos abuso e crueldade dos filhos. Egoístas, ingratos e desprezíveis! No início, competiam uns com os outros tentando agradar o pai, esperando assim receber mais dinheiro. Porém, tão logo receberam seu patrimônio, não se importavam mais com o homem. Quanto antes os deixasse, melhor, pois não passava de um problema e de uma fonte de despesas. E eles não escondiam do pobre ancião o que pensavam.

Um dia, ele encontrou um amigo e lhe relatou seus problemas. O amigo se compadeceu dele e prometeu refletir sobre o assunto e voltar depois para lhe dizer o que fazer. E assim o fez. Em alguns dias, visitou o ancião e colocou quatro sacos cheios de pedras e cascalho diante dele.

– Veja, amigo – disse ele. – Seus filhos ficarão sabendo que vim aqui hoje e perguntarão a respeito. Deve fingir que vim pagar uma dívida antiga e que agora é milhares de rupias mais rico do que pensava. Guarde esses sacos consigo e não deixe, de jeito nenhum, que seus filhos vejam seu conteúdo enquanto estiver vivo. Logo verá mudanças na forma como o tratam. Adeus. Em breve voltarei para ver como está passando.

Quando os jovens ficaram sabendo do acréscimo na riqueza do pai, começaram a ser mais cuidadosos e agradáveis com ele do que jamais haviam sido. Assim continuaram até o dia de sua morte, quando, ávidos, abriram os sacos e descobriram que estavam cheios de pedras e cascalho!

O pombo e o corvo

Há muito tempo, o Bodisatva era um pombo e vivia em um ninho feito com um cesto de vime que o cozinheiro de um homem rico havia pendurado na cozinha para conquistar mérito, a fim de melhorar seu carma. Um corvo voraz que voava por perto avistou as deliciosas comidas preparadas na cozinha e ficou faminto.

"Como eu poderia conseguir um pouco"?, pensou. Por fim, idealizou um plano.

Quando o pombo saiu para procurar comida, o corvo o seguiu.

– O que deseja, senhor corvo? Não nos alimentamos das mesmas coisas.

– Ah, mas gosto de você! Deixe-me ser seu amigo e comeremos juntos.

O pombo concordou e eles saíram juntos. O corvo fingia se alimentar com ele, mas de vez em quando se virava, dava umas bicadas em alguma pilha de esterco e comia uma minhoca gorda. Quando ficou de barriga cheia, levantou voo e disse:

– Ei, senhor pombo, como se demora com sua refeição! É preciso estabelecer um limite. Vamos para casa antes que fique muito tarde. – E assim o fizeram.

O cozinheiro viu que o pombo havia levado um companheiro e pendurou outro cesto para ele.

Alguns dias depois, foi feita uma grande compra de peixe e a mercadoria chegou à cozinha do homem rico. O corvo ficou com muita vontade! Assim, desde bem cedo, ficou grasnando e fazendo barulho. O pombo disse a ele:

– Venha, senhor corvo, é hora do desjejum!

– Ah, não posso! Estou com uma bela indigestão! – respondeu o corvo.

– Bobagem! Corvos nunca têm indigestão – afirmou o pombo. – Se engolir o pavio de uma lamparina, ele ficará um bom tempo em seu estômago. Mas todo o resto é digerido em um instante, assim que termina de comer. Faça o que lhe digo, não se comporte assim só porque viu um pouco de peixe.

– Por que está dizendo isso? Estou mesmo com indigestão.

– Bem, tenha cuidado – disse o pombo e saiu voando.

O cozinheiro preparou todos os pratos e depois parou na porta da cozinha, secando o suor do corpo.

"Chegou a minha hora!", pensou o corvo e pousou sobre um prato cheio de uma deliciosa comida. Clique! O cozinheiro o ouviu e olhou à sua volta. Ah! Ele pegou o corvo e arrancou todas as penas de sua cabeça, à exceção de um tufo. Misturou gengibre e cominho a um pouco de leite e esfregou em todo o corpo da ave.

– Isso foi por estragar o jantar de meu senhor e me fazer jogar tudo fora! – exclamou ele, jogando o corvo em seu cesto. Ah, como doía!

Depois de um tempo, o pombo chegou e viu o corvo ali parado, fazendo grande alvoroço. Zombou muito do outro e repetiu alguns versos:

> *Quem é esta garça com uma crista,*
> *Que onde não deve, está a se esconder?*
> *É melhor mesmo não ser vista,*
> *Pode se ferir se o corvo aparecer!*

A isto, o corvo respondeu:

Não sou garça, nem quero ser!
Não passo de um guloso corvo.
Seus conselhos não quis obedecer,
Acabei depenado. Que estorvo!

O pombo finalizou com uma terceira estrofe:

Um dia, sei que repetirá tal fato,
Pois agir assim é de sua natureza.
Mas quando pessoas preparam um prato,
Não é para nosso bico, é para servir à mesa.

Então o pombo saiu voando, dizendo:
– Não posso mais viver com esta criatura.
E o corvo ficou ali gemendo até morrer.

Notas e referências

A literatura de histórias da Índia é, em grande medida, resultado da revolução moral na península associada ao nome de Sidarta Gautama, o Buda. Conforme a influência de sua vida e de suas doutrinas crescia, surgiu uma tendência de vincular todas as histórias populares da Índia ao grande professor. Isso pôde ser levado a cabo com facilidade por causa da ampla difusão da crença na metempsicose. Tudo que foi dito a respeito dos sábios do passado podia ser interpretado a respeito do Buda ao representá-los como pré-encarnações dele. Mesmo com as fábulas, ou contos animais, isso podia ser feito, pois os hindus eram darwinistas bem antes de Darwin e consideravam as feras primas dos homens e estágios de desenvolvimento no progresso da alma ao longo do tempo. Assim, ao identificar o Buda com os heróis de todos os contos populares e com os personagens principais das histórias com animais, os budistas conseguiram incorporar todo o rol de histórias do Hindustão em seus livros sagrados e recrutar para seu lado o instinto humano de contar histórias.

Ao fazer de Buda figura central da literatura popular da Índia, seus seguidores também inventaram a narrativa moldura como método de arte literária. A ideia de conectar uma série de histórias não relacionadas, que nos é familiar de *As mil e uma noites*, do *Decamerão* de Boccaccio, de *Os contos de Canterbury* de Chaucer, ou até mesmo de *Pickwick*, é diretamente rastreável ao plano de tornar Buda figura central na literatura popular indiana. Curiosamente, o mais antigo exemplo disso na literatura budista foi concebido para ser um *Decamerão*, dez contos dos nascimentos prévios de Buda, cada um sobre uma das dez Perfeições. Asvagosa, o Boccaccio antes de seu tempo, morreu quando havia completado trinta e quatro dos contos de nascimento. Mas outras coleções foram feitas, e por fim um corpus das JATAKAS, ou Contos de nascimento do Buda, foi levado para o Ceilão, possivelmente logo na primeira introdução do budismo, em 241 a.C. Ali permaneceram até o presente e foram finalmente tornadas acessíveis por meio de uma edição completa do original em páli pelo Prof. Viggo Fausböll.

Essas JATAKAS, como as temos hoje, são consagradas em um comentário nos *gathas*, ou em versos morais, escritos no Ceilão por um membro da escola de Budagosa no século V d.C. Elas invariavelmente começam com uma "História do presente", um incidente na vida de Buda que evoca uma "História do passado", um conto popular em que ele desempenhou um papel durante uma de suas encarnações passadas. Assim, a fábula do leão e da garça, que abre a presente coleção, é introduzida por uma "História do presente" nas seguintes palavras:

"Um serviço lhe foi prestado" [as palavras de abertura do *gatha* ou verso moral]. "Isso disse o Mestre quando vivia em Jetavana quanto à traição de Devadatta. Não apenas agora, ó Bico, mas em uma existência anterior já era Devadatta ingrato. E tendo dito isso, ele contou uma história". Então segue como apresentada acima (p. 1-2), e o comentário conclui: "O Mestre, tendo passado a lição, resumiu assim a Jataka: 'Naquela época, o leão era Devadatta, e a garça era eu mesmo'." De forma similar, em cada história do passado, o Buda se identifica com o herói virtuoso do conto popular, ou é mencionado como idêntico a ele. Essas Jatakas são quinhentos e cinquenta no total e calcula-se que incluem cerca de dois mil contos. Algumas delas foram traduzidas pelo senhor Rhys-Davids (*Buddhist Birth Stories, Vol. I*, Trübner's Oriental Library, 1880), pelo Prof. Fausböll (*Five Jatakas*,

Copenhague) e pelo Doutor R. Morris (*Folk-Lore Journal*, Vol. II-V). Umas poucas subsistem esculpidas nas estupas budistas mais antigas. Assim, vários desenhos de figuras circulares nos relevos de Amaravati, hoje na grande escadaria do Museu Britânico, representam Jatakas, ou prévios nascimentos de Buda.

Algumas das Jatakas têm notável semelhança com algumas das mais conhecidas Fábulas de Esopo. A semelhança é tanta, aliás, que é impossível não suspeitar que haja uma relação histórica entre as duas. Examinei essa relação detalhadamente em "History of the Æsopic Fable", que forma o volume introdutório de minha edição para *The Fables of Æsop* de William Caxton (Londres, D. Nutt, "Bibliothèque de Carabas", 1889). Aqui posso apenas resumir brevemente meus resultados. Presumo que uma coleção de fábulas existiu na Índia antes de Buda e de forma independente das Jatakas, vinculada ao nome de Caxiapa, que posteriormente foi tornado pelos budistas a última das vinte e sete pré-encarnações de Buda. Essa coleção das fábulas de Caxiapa foi trazida à Europa com uma comitiva do rei cingalês Chandra Muka Siwa (ob. 52 d.C.) ao imperador Cláudio por volta de 50 d.C., e vertido para o grego como o Λόγοι Λυβικοί de "Cibisso". Essas, por sua vez, foram utilizadas por Bábrio (de quem deriva o Esopo grego) e Aviano, e então entraram para o Esopo europeu. Discuti todas aquelas que são encontradas nas Jatakas, no volume que mencionei acima, I, p. 54-72 (veja Notas I, XV, XX). Nas presentes notas, de agora em diante, refiro-me a "History of the Æsopic Fable" como meu *Esopo*.

Provavelmente havia outras coleções budistas de natureza similar a das Jatakas com uma estrutura de base. Quando veio a reação dos hindus contra o budismo, os brâmanes as adaptaram, omitindo Buda como figura central. É quase certo que as chamadas Fábulas de Bidpai sejam, assim, derivadas de fontes budistas. Em sua forma indiana, elas agora existem como um *Panchatantra* ou Pentateuco, cinco livros de contos conectados por uma narrativa moldura. Essa coleção é de especial interesse para nós no vínculo presente, pois chegou à Europa em várias formas e modelos. Editei a versão para o inglês, que Sir Thomas North fez a partir de uma adaptação para o italiano, de uma tradução para o espanhol, de uma versão em latim, de uma tradução para o hebraico, de uma adaptação para o árabe da versão em pálavi do original indiano (*Fables of Bidpai*, Londres, D. Nutt, "Bibliothèque de Carabas", 1888). Nela, apresento uma tabela genealógica das diversas versões, a partir da qual calculo que os contos foram traduzidos para trinta e oito línguas em cento e doze versões, sendo vinte diferentes somente para o inglês. A influência delas sobre os contos populares europeus foi muito grande: é provável que quase um décimo delas possa ter a origem traçada até a literatura Bidpai (Veja Notas V, IX, X, XIII, XV).

Outras coleções de natureza similar, organizadas em uma estrutura, e, em última análise, derivadas de fontes budistas, também chegaram à Europa e se consolidaram como leitura popular na Idade Média. Entre elas deve-se mencionar o Livro de Sindbad, conhecido na Europa como *Os sete sábios de Roma*: dele tiramos a história de Gellert (*cf. Contos de fadas celtas*), embora ela também apareça no Bidpai. Outra coleção popular que foi associada à vida do santo Buda, que foi canonizado como São Josafat, Barlaão e Josafat, conta a história de sua conversão e muitas mais, incluindo o conto dos três caixões, usado por Shakespeare em *O mercador de Veneza*.

Alguns dos contos indianos chegaram à Europa na época das Cruzadas, seja de forma oral ou por coleções que não existem mais. A mais antiga seleção entre essas foi *Disciplina Clericalis* de Pedro Alfonso, um judeu espanhol convertido por volta do ano de 1106; pretendia-se que os contos fossem usados para "temperar" os sermões. E que tempero forte deve ter sido! Outra coleção espanhola de data muito posterior recebeu o título *El conde Lucanor*; ela contém a fábula *O homem, seu filho e o burro*, que eles montam ou carregam, a depender do que decide a voz popular. Porém a mais famosa coleção desse tipo foi a conhecida como Gesta Romanorum, que tem boa parte certamente derivada de fontes orientais e, em última análise, indianas, de forma que seria mais apropriado chamá-la de *Gesta Indorum*.

Todas essas coleções que chegaram à Europa nos séculos. XII e XIII, tornaram-se bastante populares e foram usadas por monges e frades para animar seus sermões como Exempla. O prof. Crane teceu um relato completo sobre este muito curioso fenômeno em sua edição erudita de *Exempla* de Jacques de Vitry (*Folk Lore Society*, 1890). As histórias indianas também foram utilizadas pelos *novellieri* italianos, sendo boa parte da obra de Boccaccio e de sua escola derivada dessa fonte. Como elas, mais uma vez, forneceram material para o drama elisabetano, principalmente na obra de William Painter *Palace of Pleasure*, uma coleção de *novelle* traduzidas que eu editei (Londres, 3 vols., 1890), não é de se surpreender que possamos às vezes rastrear trechos de Shakespeare até a Índia. Também deve-se mencionar que metade das Fábulas de La Fontaine (livros VII-XII) são derivadas de fontes indianas (Veja Nota V).

Na própria Índia, a coleção de histórias de forma estruturada continuou e ainda continua. Além daquelas já mencionadas, há as histórias de *Vikram e o vampiro* (Vetala), traduzidas, entre outros, por *Sir* Richard Burton, e as setenta histórias de um papagaio (*Suka Saptati*). Toda essa literatura foi sintetizada por Somadeva, c. 1200 d.C. em uma enorme compilação intitulada *Kathá-sarit-ságara* (oceano de rios de histórias). A partir dessa obra, escrita em estilo bastante floreado, o senhor C. H. Tawney produziu uma tradução em dois volumes para a série *Bibliotheca Indica*. Infelizmente, há uma atmosfera de tribunal de divórcio por todo o livro, e minha seleção de contos dele foi, como consequência, restrita (*Veja* Notas XI).

É o bastante para um breve resumo sobre os contos populares indianos, à medida que foram reduzidos a escritos na literatura nativa[2]. As Jatakas são provavelmente a mais antiga coleção de contos como esses na literatura, e a maior parte do restante tem comprovadamente mais de mil anos de diferença. É certo que muito (talvez um quinto) da literatura popular na Europa moderna é derivada daquelas partes desse gigantesco volume que vieram para o Ocidente com as Cruzadas, por meio dos árabes e judeus. Em sua detalhada *Einleitung* em *Pantschatantra*, a versão indiana das Fábulas

---

[2] Um admirável e completo relato sobre essa literatura foi escrito por Auguste Barth em *Mélusine*, t. IV, nº 12, e t. V, nº 1. Veja também a tabela I no *Birth Stories* do prof. Rhys-Davids.

de Bidpai, o prof. Theodor Benfey sustenta com enorme erudição que a maioria das ocorrências dos contos populares podiam ser encontradas na literatura Bidpai. Sua introdução consistia em mais de duzentas monografias sobre a propagação dos contos indianos até a Europa. Ele escreveu em 1859, antes da grande explosão das coleções de contos populares na Europa, e, portanto, não tinha o material adequado para determinar a extensão da influência indiana sobre o imaginário popular europeu. Mas ele deixou claro que, em relação aos contos animais e contos cômicos, a maioria dos que estão atualmente na boca dos povos ocidentais são derivados de fontes orientais e, principalmente, indianas. Ele não teve sucesso, em minha opinião, ao traçar a origem do conto de fadas sério até a Índia. Poucos contos nas coleções literárias indianas podem ser honrados com o nome "conto de fadas", e se fôssemos rastrear a origem desses últimos até a Índia, teríamos que tentar analisar os contos populares contemporâneos da península.

A coleção de contos populares indianos atuais foi um trabalho realizado no último quarto de século, um trabalho que, mesmo depois do que já foi conquistado, ainda está em seus primeiros estágios. O crédito por ter iniciado o processo deve ser dado à senhorita Mary Frere, que, enquanto seu pai governava a Presidência de Bombaim, anotou ao ouvir na voz de sua *aia*, Anna de Souza, membro de uma família lingayat de Goa que era cristã há três gerações, as histórias que depois publicou com o senhor John Murray em 1868, sob o título "*Old Deccan Days, or, Indian Fairy Legends current in Southern India, collected from oral tradition by M. Frere, with na introduction and notes by Sir Bartle Frere*". Seu exemplo foi seguido pela senhorita Maive Stokes em *Indian Fairy Tales* (Londres, Ellis & White, 1880), depois de anotar as histórias contadas por duas *aias* e um *khitmutgar*, todos bengalis; as *aias,* hindus, e o homem, maometano. O senhor William Ralston abriu o volume com algumas observações que se ocupavam demais com mitos solares para o gosto atual. Outra coleção de Bengala foi a de Lal Behari Dey, um cavalheiro hindu, em *Folk-Tales of Bengal* (Londres, Macmillan, 1883). O Punjab e a Caxemira tiveram então sua vez: a senhora Flora A. W. Steel compilou, e o capitão (depois major) Temple editou e fez as anotações de *Wide-Awake Stories* (Londres, Trübner, 1884), histórias contadas de maneira formidável e com anotações esplêndidas. O capitão Temple aumentou o valor dessa coleção com uma excelente análise de todas as ocorrências contidas nos duzentos contos populares indianos coletados até aquela data. Não é exagero dizer que esta análise marca um passo à frente no estudo científico do conto popular: isso é algo que existe, por mais que seja ridicularizado. Ao longo das Notas, fui capaz de chamar a atenção aos paralelos indianos por meio de uma simples referência à análise do major Temple.

Ele não foi o único a compilá-los: foi a inspiração para que muitos outros o fizessem. Nas páginas de *Indian Antiquary*, editado por ele, de tempos em tempos apareciam contos populares de todas as partes da Índia. Alguns desses foram publicados separadamente. Grupos de contos do Sul da Índia, compilados pelo pândita Natesa Sastri, foram publicados sob o título *Folk-Lore of Southern India*, de qual três fascículos foram relançados pela senhora Georgiana Kingscote sob o título *Tales of the Sun* (W. H. Allen, 1891). Seria bom se a identidade das duas obras tivesse sido explicada com clareza. O maior acréscimo ao nosso conhecimento sobre o conto popular indiano desde *Wide-Awake Stories* foi a obra do senhor J. Hinton Knowles, *Folk-Tales of Kashmir* (Trübner's Oriental Library, 1887), com sessenta e três contos, alguns bastante longos. Esses, ao lado de *Santal Folk-Tales* (1892), do senhor A. Campbell; *Indian Fables* (Londres, Sonnenschein, s.d.), de Ramaswami Raju; *Indian Fairy Tales* (Londres, 1889) de Mark Thornhill; e *Tales of South India* (1855), de E. J. Robinson, e aqueles contidos em livros de viagem como o *Bannu* de Thornton e *Karens of Burma*, de Smeaton, elevam a lista de contos populares indianos publicados a mais de trezentos e cinquenta, um total respeitável, de fato, mas uma mera gota no oceano de rios de histórias que deve existir com uma população enorme como a da Índia; as Províncias Centrais, em particular, são praticamente inexploradas. Sem dúvidas ainda há muitas coleções não publicadas. O coronel Thomas Lewin tem grande quantidade delas, além das poucas publicadas em seu *Lushai Grammar*; e o senhor M. L. Dames tem diversos contos balú-chi que tive o privilégio de usar. Ao todo, a Índia agora está entre os países melhores representados em termos de contos populares publicados, atrás apenas de Rússia (mil e quinhentos), Alemanha (mil e duzentos), e Itália e França (mil cada)[3]. Contando os antigos e os modernos, a Índia provavelmente tem cerca de seiscentos a setecentos contos populares publicados e traduzidos de forma acessível. Deve haver material o bastante para decidir a irritante questão das relações entre as coleções europeias e indianas.

Esta questão tomou outro rumo com as pesquisas de Emmanuel Cosquin em seus *Contes populaires de Lorraine* (Paris, 1886, 2ª edição, 1890), indubitavelmente a mais importante contribuição ao estudo científico dos contos populares desde os Grimm. E. Cosquin fornece, nas anotações que acompanham os oitenta e quatro contos que compilou em Lorraine, uma grande quantidade de informações referentes às várias formas que os contos assumem em outros países da Europa e no Oriente. Em minha opinião, o trabalho que ele fez pelos contos populares europeus é ainda mais valioso do que as conclusões que tira deles em termos de suas relações com a Índia. Ele pegou o trabalho que Wilhelm Grimm abandonou em 1859 e mostrou, a partir dos enormes acúmulos de contos populares que apareceram durante os últimos trinta anos, que existe uma base comum de contos que todos os países da Europa, sem exceção, têm, embora isso não os impossibilite de possuir outros, não compartilhados pelo restante. Cosquin depois afirma que todos eles vieram do Oriente, essencialmente da Índia, não por transmissão literária, como afirmava Benfey, mas por transmissão oral. Ele certamente demonstrou que muitos dos mais impressionantes acontecimentos comuns aos contos populares europeus também são encontrados nos *mährchen* orientais. O que, no entanto, ele não conseguiu demonstrar é que alguns deles podem não ter sido levados ao mundo oriental por europeus. O empréstimo de contos é um processo mútuo, e quando indianos encontram europeus, europeus encontram

---

[3] A Finlândia alardeia ter doze mil, mas a maioria deles permanece sem ser publicada nos arquivos da Sociedade Literária de Helsinque.

indianos; quem empresta de quem é uma questão que nos falta critério para decidir. Também deve ser mencionado que W. A. Clouston compilou, na Inglaterra, com dedicação exemplar, um grande número de paralelos entre acontecimentos presentes em contos populares indianos e europeus em seus *Popular Tales and Fictions* (Edimburgo, 2 vols., 1887) e *Book of Noodles* (Londres, 1888). O senhor Clouston não expressou abertamente sua convicção de que todos os contos populares têm origens indianas: prefere nos convencer *non vi sed sæpe cadendo*. Ele certamente formou um bom argumento remetendo todos os contos cômicos europeus ao Oriente.

Em relação aos contos de fadas no sentido estrito do termo, *i.e.*, os contos folclóricos de aventura romântica, tenho minhas dúvidas. Eles são, sobretudo, um produto moderno tanto na Índia quanto na Europa até onde vão as evidências literárias. O grande volume de Jatakas não apresenta um único exemplo digno do nome, nem tampouco a literatura Bidpai. Alguns dos contos de Somadeva, no entanto, abordam a natureza dos contos de fadas, mas há vários contos celtas que podem ser remetidos a uma data anterior a ele (1200 d.C.) e são igualmente próximos dos contos de fadas. Ainda assim, é perigoso confiar na mera não aparição na literatura como prova de não existência. Pegando como exemplo nossos próprios contos ingleses, não há uma única referência a *João e o pé de feijão* nos últimos trezentos anos, embora se trate indubitavelmente de um verdadeiro conto popular. E é de fato notável quantas das *formulæ* dos contos de fadas foram encontradas recentemente na Índia. Assim, *O violino mágico*, encontrado entre os Santals do senhor Campbell em duas variações (*veja* Nota VI), contém a origem da ideia da conhecida história representada na Grã-Bretanha pela balada *Binnorie* (veja *Contos de fadas ingleses*, IX). De maneira similar, a compilação do senhor Knowles contribuiu consideravelmente para o número de variantes indianas de *formulæ* europeias, além daquelas notadas por E. Cosquin.

É ainda mais surpreendente no que diz respeito aos *acontecimentos*. Em um trabalho apresentado no *Folk-Lore Congress* de 1891 e reimpresso em *Transactions*, pp. 76 *seq.*, listei cerca de seiscentos e trinta acontecimentos encontrados em comum entre contos folclóricos europeus (incluindo os cômicos). Destes, calculo que cerca de duzentos e cinquenta já estão inseridos entre os contos folclóricos indianos, e o número aumenta a cada nova compilação que é criada ou impressa. A moral da história é que a Índia pertence a um grupo de povos com um acervo de histórias em comum; a Índia pertence à Europa para fins práticos de comparação de contos folclóricos.

Podemos ir mais além e dizer que a Índia é a fonte de todos os acontecimentos em comum apresentados às crianças europeias? Acho que podemos responder que "sim" em relação aos contos cômicos, dos quais muitos trajetos podem ser rastreados e chegarmos ao curioso resultado de que as crianças europeias devem suas primeiras risadas a comediantes hindus. Quanto aos acontecimentos sérios, serão necessários mais investigações. Assim, encontramos a ocorrência de uma "alma externa" (índice de vida, como capitão Temple apropriadamente nomeou) em *Contos nórdicos* de Asbjornsen e em *Old Deccan Days*, da senhorita Frere (Veja Notas sobre Punchkin). Todavia, o último é uma fonte um tanto quanto suspeita, uma vez que a senhorita Frere derivou seus contos de uma *aia* cristã, cuja família viveu em Goa por uma centena de anos. Não poderiam eles ter ouvido a história de um gigante com a alma fora do corpo de algum marinheiro europeu de passagem por Goa? Isso é, até certo ponto, negado pelo fato de ser frequente a ocorrência de tal incidente em contos folclóricos indianos (o capitão Temple apresentou grande número de exemplos em *Wide-Awake Stories*, pp. 404-5). Por outro lado, o senhor Frazer, em seu *O ramo de ouro* mostrou a disseminação da ideia entre todas as tribos selvagens e semisselvagens (veja Nota IV).

Neste caso, em particular, podemos ter dúvidas; mas em outros, como no do rato da cauda no nariz (veja notas sobre *O anel encantado*), restam poucas dúvidas sobre a origem indiana. E, em geral, contanto que os acontecimentos sejam extraordinários ou tenham verdadeiro caráter de conto de fadas, a suposição é favorável à Índia, pela vitalidade do animismo ou metempsicoses na Índia durante toda a história. Nenhum hindu duvidaria de animais falando ou de homens transformados em plantas e animais. Os europeus podem ter tido essas crenças um dia e ainda podem conservá-las como "sobreviventes"; mas nesse estágio, não conseguem fornecer material para criação artística, e o fato de as grandes mentes da Europa nos últimos mil anos terem reprovado essas crenças tiveram muita influência. De uma coisa, há certeza prática: os contos de fadas que são comuns ao mundo indo-europeu foram inventados de uma vez só em uma certa localidade, e depois espalharam-se por todos os países que tiveram contato cultural com a fonte original. O mero fato de países adjacentes terem mais similaridades em suas histórias do que os mais distantes, basta para provar isso; na verdade, o fato de qualquer país ter disseminado por todo seu território um conjunto de contos populares tão distinto quanto sua flora e fauna é suficiente para afirmar isso. É igualmente certo que nem todos os contos folclóricos vieram de uma única fonte, pois cada país tem contos que lhe são peculiares. A questão se refere às origem dos contos comuns a todas as crianças europeias, e cada vez mais evidências parecem mostrar que este núcleo comum é derivado da Índia e apenas da Índia. Os hindus foram mais bem-sucedidos que outros por dois fatos: tiveram a "atmosfera" apropriada da metempsicose e também espalharam entre o povo conhecimento literário suficiente e suporte mental para inventar enredos. Os contos hindus expulsaram os europeus nativos que sem dúvidas existiram de maneira independente. De fato, muitos ainda sobrevivem, principalmente em terras celtas. Exatamente da mesma forma, os contos de Perrault expulsaram os contos folclóricos mais antigos e é com extrema dificuldade que alguém consiga ter acesso aos verdadeiros contos de fadas ingleses, porque *Chapeuzinho vermelho, Cinderella, Barba Azul, O gato de botas*, entre outros, sobreviveram na luta pela existência entre os contos folclóricos ingleses. Se a Europa tem um acervo comum de contos de fadas, ele se deve à Índia.

Não desejo ser mal interpretado, porém não concordo com Benfey, que diz que todos os contos folclóricos europeus são derivados da literatura Bidpai e produtos literários similares, nem com E. Cosquin, que acredita que são todos derivados da Índia. O último provou que há um núcleo de histórias em cada terra europeia que é comum a todas. Calculo que inclua de trinta a cinquenta por cento do total, e é a parte comum da Europa que considero ter vindo da Índia, principalmente na época das Cruzadas, e sobretudo por transmissão oral. Inclui todas as melhores histórias e a maior parte dos contos cômicos, mas ainda faltam evidências sobre os contos de fadas mais sérios, embora estejam aumentando a cada nova compilação de contos folclóricos na Índia, cuja importância fica óbvia a partir das considerações acima.

Nas Notas a seguir, forneço como nas duas ocasiões anteriores, a *fonte* de onde retirei a história, então seus *paralelos* e, por fim, *comentários*. Para os *paralelos* indianos, pude fazer referência à notável análise do major Temple sobre as ocorrências nos contos populares indianos no final de *Wide-Awake Stories* (p. 386-436); para os europeus, à minha lista de ocorrências em ordem alfabética, com referências bibliográficas em *Proceedings of the International Folk-lore Congress of 1891*, p. 87-98. Meus *comentários* foram dedicados principalmente a traçar a relação entre os contos indianos e os europeus, com o objetivo de mostrar que os últimos derivam dos primeiros. Tive, entretanto, que me limitar até certo ponto, pois evitei apresentar novamente as versões indianas de histórias já incluídas em *Contos de fadas ingleses* e *Contos de fadas celtas*.

O leão e a garça

Fonte: Viggo Fausböll, *Five Jātakas*, Copenhague, 1861, p. 35-38, texto e tradução de *Jāvasakuna Jātaka*. Recorri à versão para o inglês do prof. Fausböll, que foi concebida apenas como "apoio" para a leitura do texto em páli. Para a Introdução omitida, ver *supra*.

Paralelos: Apresentei uma compilação um tanto abrangente de paralelos, chegando a cerca de uma centena, em meu *Esopo*, p. 232-234. Os principais são: (1) para o Oriente, a versão midráshica (O leão e a perdiz), no comentário rabínico sobre o Gênesis (*Bereshith-rabba*, c. 64); (2) na antiguidade clássica, Fedro, I, 8 (O lobo e a garça), Bábrio, 94 (O lobo e a garça), e o provérbio grego em Suda, II, 248 (Na boca do lobo); (3) na Idade Média, o suposto *Esopo* grego, ed. Halm, 276*b*, na verdade versões em prosa de Bábrio e Romulus, ou prosa de Fedro, I, 8, e também o Romulus de Adémar (fl. 1.030), 64; também ocorre na Tapeçaria de Bayeux, em Maria de França, 7, e no *Mishle Shualim* (hebraico) de Bento de Oxford, 8; (4) Stainhöwel copiou do Romulus para seu Esopo alemão (1480), de qual todos os Esopos europeus modernos são derivados.

Comentários: Selecionei *O lobo e a garça* como exemplo típico em meu texto *History of the Æsopic Fable*, e somente posso apresentar aqui um sumário em linhas gerais dos resultados que ali obtive em relação à fábula, meramente presumindo que tais resultados são, no momento, nada além de hipóteses. A similaridade da forma da Jataka com aquela que nos é familiar e por nós derivada em última análise, de Fedro, é tão espantosa que poucos negariam haver uma relação histórica entre elas. Conjecturo que a fábula teve origem na Índia, e chegou ao Ocidente por duas rotas diferentes. Primeiro, no Egito por tradição oral, como uma das Fábulas líbias que os próprios povos antigos distinguiam das Fábulas Esópicas. Ela foi, entretanto, incluída por Demétrio de Falero, déspota de Atenas, e fundador da Biblioteca de Alexandria c. 300 a.C., em sua *Coletânea de discursos esópicos*, que demonstrei ser a fonte das Fábulas de Fedro c. 30 d.C. Em adição, chegou ao Ceilão por meio das Fábulas de Cibisso – *i.e.* Caxiapa, o Buda – c. 50 d.C., foi adaptada para o hebraico, e usada com propósitos políticos pelo rabino Josué ben Ananias em um discurso aos judeus c. 120 d.C., rogando para que fossem perseverantes enquanto estivessem entre os maxilares de Roma. A forma hebraica utiliza o leão, e não o lobo, como o ingrato, o que nos permite concluir pela *procedência* indiana da versão midráshica. Deve-se observar que o uso do leão nessa e em outras Jatakas é uma referência indireta à grande era da espécie, uma vez que o leão se tornou cada vez mais raro na Índia ao longo da história e agora está confinado à floresta de Gir, em Kathiawar, onde há apenas uma dúzia de espécimes, rigorosamente preservadas.

Os versos no final são as primeiras partes da Jataka, em páli mais arcaico que o do resto: a história é contada pelo comentarista (c. 400 d.C.) para ilustrá-los. É provável que tenham sido trazidos pela introdução do Budismo ao Ceilão, c. 241 a.C. Isso lhes daria uma idade de mais de dois mil anos, quase trezentos anos antes de Fedro, de quem provém nossa fábula *O lobo e a garça*.

Como o filho do rajá conquistou a princesa Labam

Fonte: Maive Stokes, *Indian Fairy Tales*, nº XXII, p. 153-163, contada por Múniyá, uma das aias. Não fiz alterações, exceto ao substituir "Deus" por "khuda", palavra originalmente usada (Veja *Notas, loc. cit.*, p. 237).

Paralelos: O tabu, como quanto a seguir em determinada direção, ocorre em outras histórias indianas, bem como no folclore europeu (Veja Notas em Stokes, p. 286). O tema dos *animais gratos* ocorre em "O filho do adivinho" (*infra*, nº X), e com frequência no folclore indiano (Veja *Temple, Survey of Incidents*, III. i. 5-7, *In: Wide-Awake Stories*, p. 412-413). O espinho na pata do tigre é especialmente comum (Temple, *loc. cit.*, 6- 9), e remete à história de Andrócles, que aparece nos derivados de Fedro e pode, portanto, ser de origem indiana (Veja Benfey, *Pantschatantra*, I, 211, e os paralelos listados em meu *Esopo*, Ro. III. i., p. 243). O tema, contudo, é igualmente frequente no folclore europeu: veja minha lista de ocorrências em *Proceedings of the International Folk-lore Congress of 1891*, p. 91, s.v. "grateful animals" e "gifts by grateful animals". De forma similar, a ocorrência do "dote" no final é comum a um grande número de histórias dos folclores indiano e europeu (*Temple, Survey of Incidents*, p. 430; minha lista, *loc. cit.* s.v. "bride wager"). As tarefas também são comuns (*cf.* "A batalha dos pássaros" em *Contos de fadas celtas*), embora as formas exatas apresentadas em "Princesa Labam" não sejam conhecidas na Europa.

Comentários: Temos aqui um exemplo concreto da relação entre os contos de fadas indianos e europeus. A mente humana pode ser a mesma em todos os lugares, mas não é provável encontrar a sequência de ocorrências *direção tabu – animais gratos – dote – tarefas* por acidente, ou de forma independente: a Europa deve ter se apropriado de elementos da Índia; ou a Índia, da Europa. Como isso deve ter ocorrido na era histórica, decerto dentro dos últimos milhares de anos, quando não é provável que nem mesmo os camponeses europeus tenham *inventado* a ocorrência dos animais gratos, ainda que acreditassem nela, as probabilidades são favoráveis a isso ter sido emprestado da Índia, possivelmente por intermédio dos árabes na época das Cruzadas. É só uma probabilidade, mas não temos como ir além da probabilidade nesse caso, apenas no presente.

O cordeirinho

Fonte: Flora Annie Webster Steel e *Sir* Richard Carnac Temple, *Wide--Awake Stories*, p. 69-72, publicação original em *Indian Antiquary*, Vol. XII, p. 175. O picaresco é comum em todo o Punjab.

Paralelos: A similaridade do episódio conclusivo com o final de "A história dos três porquinhos" (*Contos de fadas ingleses*). Em minhas notas sobre aquela fábula apontei que os porcos uma vez já foram cabritos ou crianças com "fios em sua barba". Isso deixa o conto um pouco mais próximo de "O cordeirinho".

Comentários: A similaridade entre o porquinho nº 3 rolando colina abaixo na desnatadeira e o cordeirinho no tamborzinho dificilmente é acidental, embora, deve-se reconhecer, a história tenha passado por consideráveis modificações antes de chegar à Inglaterra.

Punchkin

Fonte: Mary Frere, *Old Deccan Days*, p. 1-16, contada por sua aia Anna de Souza, de uma família lingayat convertida ao Cristianismo e estabelecida em Goa por três gerações. Talvez deva acrescentar que um prudhan é um primeiro-ministro ou vizir; punts são a mesma coisa, e sirdars, aristocratas.

Paralelos: O filho de sete mães é um conceito característico indiano, sobre o qual veja as notas em "O filho de sete rainhas" nessa coleção, nº XVI. A mãe transformada, a madrasta invejosa e o reconhecimento do anel são todas ocorrências comuns ao Oriente e ao Ocidente; referências bibliográficas para os paralelos podem ser encontradas sob esses títulos em minha lista de ocorrências. A alma externa do vilão foi estudada pelo senhor E. Clodd no artigo "The Philosophy of Punchkin" em *Folk-Lore Journal,* Vol. II e de forma ainda mais elaborada na seção "A alma externa nos contos folclóricos" em *O ramo de ouro,* Ed. Círculo do Livro, 1978, p. 236-239, de Sir James Frazer. Veja o que diz o major Temple em "Survey of Incidents", II-III, *Wide-Awake Stories,* p. 404-405, onde os paralelos indianos são listados por ele.

Comentários: Tanto o senhor Clodd quanto o senhor Frazer avaliam que a essência do conto tem base no conceito de uma alma externa ou "índice de vida", e ambos veem nisso uma "sobrevivência" da filosofia selvagem, que consideram ocorrer entre todos os humanos em certo estágio da cultura. Mas uma análise mais superficial do grupo de contos contendo tais ocorrências segundo as análises do senhor Frazer revela que muitos, na verdade, a maioria, desses contos não têm como ser independentes um do outro; pois eles incluem não apenas a ocorrência de uma alma externa materializada, mas além disso o fato de que ela é contida em outra coisa, confinada em mais alguma coisa, que é, mais uma vez, revestida por um invólucro. Essa estrutura de boneca russa é encontrada no Decã (Punchkin); em Bengala (Day, *Folk-Tales of Bengal*); na Rússia (Ralston, p. 103 *seq.,* "Koschei the Deathless", e também em "A Morte de Koschei, o Imortal" em *O fabuloso livro vermelho,* de Andrew Lang); na Sérvia (Mijatovic, *Serbian Folk-Lore,* p. 172); na Eslavônia meridional (Wratislaw, p. 225); em Roma (Busk, p. 164); na Albânia (Dozon, p. 132 *seq.*); na Transilvânia (Haltrich, nº 34); em Schleswig-Holstein (Müllenhoff, p. 404); na Noruega (Asbjörnsen, nº 36, *apud* Dasent, *Popular Tales from the Norse,* p. 55, *The*

Giant who had no Heart in his Body); e, por fim, nas Hébridas (Campbell, *Popular Tales of the West Highlands*, p. 10, *cf. Contos de fadas celtas*, "A donzela do mar"). Aqui temos a trilha dessa extraordinária ideia de uma alma confinada em uma sucessão de invólucros, que podemos seguir desde o Hindustão até as Hébridas.

É difícil imaginar que não tenhamos aqui a real migração do conto do Oriente ao Ocidente. Em Bengala, temos a alma "em um colar, em uma caixa, no coração de um bagre, em um tanque"; na Albânia, "está em um pombo, em uma lebre, na presa prateada de um javali"; em Roma, "está em uma pedra, na cabeça de um pássaro, na cabeça de um lebracho, na cabeça do meio de uma hidra de sete cabeças"; na Rússia, "está em um ovo, em um pato, em uma lebre, em um caixão, em um carvalho"; na Sérvia, "está em uma tábua, no coração de uma raposa, em uma montanha"; na Transilvânia, "está em uma luz, em um ovo, em um pato, em um lago, em uma montanha"; na Noruega, "está em um ovo, em um pato, em um poço, em uma igreja, em uma ilha, em um lago"; nas Hébridas, "está em um ovo, na barriga de um pato, na barriga de um carneiro, debaixo da soleira de pedra na porta". É impossível imaginar a mente humana criando de forma independente tão bizarras convoluções. Elas foram emprestadas de uma nação a outra, e até que tenhamos prova contrária, o proprietário original era um hindu. Devo acrescentar que o mero conceito de uma alma externa ocorre no mais antigo conto egípcio "Os dois irmãos", mas os invólucros não aparecem.

O vaso quebrado

Fonte: Pantschatantra, V, IX, trad. Benfey, II, p. 345-346.

Paralelos: Benfey, no § 209 de sua *Einleitung*, lista referências bibliográficas para a maioria daqueles que são apresentados detalhadamente no brilhante ensaio "*The Migration of Fables*", do prof. M. Müller (*Selected Essays*, Vol. I, p. 500-576), inteiramente dedicado às viagens das fábulas desde a Índia até La Fontaine. Veja também *Popular Tales and Fictions*, Vol. II, 432 *seq.*, de William A. Clouston. Traduzi a versão em hebraico em meu ensaio *Jewish Influence on the Diffusion of Folk-Tales*, p. 6-7. O provérbio "não se deve contar com os ovos dentro da galinha", em última análise, deve ser originário da Índia.

Comentários: As histórias de Alnaschar, o quinto irmão do Barbeiro em *As mil e uma noites*, e da leiteira Perrette, que contou com os ovos dentro da galinha, em La Fontaine, são obviamente derivadas do mesmo original indiano de onde obtivemos nossa história. As viagens das "Fábulas de Bidpai" da Índia para a Europa são bastante conhecidas e claramente rastreáveis. Fiz um breve resumo dos principais resultados críticos na introdução à minha edição da primeira versão em inglês das *Fábulas de Bidpai*, por *Sir* Thomas North, renomado tradutor de Plutarco (Londres, D. Nutt, "Bibliothèque de Carabas", 1888), onde apresentei uma complexa tabela genealógica das numerosas versões. A versão de La Fontaine, que tornou a fábula tão familiar a todos nós, vem de Bonaventure des Perièrs, *Contes et Nouvelles*, que a tirou do *Dialogus Creaturarum* de Nicolau de Pérgamo, que é proveniente dos *Sermones* de Jacques de Vitry (Veja a edição do Prof. Crane, nº LI), que provavelmente a obteve por meio do *Directorium Humanæ Vitæ* de João de Capua, um judeu convertido, que a traduziu a partir da versão em hebraico, do árabe *Kalilah wa Dimnah*, que, por sua vez, é derivado da antiga versão em siríaco, de uma tradução para o pálavi da obra original indiana, cujo título provavelmente vem de Karataka e Damanaka, os nomes de dois chacais que aparecem nas primeiras histórias do livro. O prof. Rhys-Davids informa que esses nomes soam mais como páli do que como sânscrito, o que torna ainda mais provável que toda a literatura seja, no final das contas, derivada de uma fonte budista.

O tema de Perrette é interessante ao demonstrar a transmissão *literária* de contos do Oriente ao Ocidente. Ele também mostra a probabilidade de uma influência literária sobre a tradição oral, como visto em nosso provérbio, e pelo fato que Benfey menciona, de que a história de La Fontaine influenciou dois contos de Grimm, de nºs 164 e 168.

O violino mágico

Fonte: A. Campbell, *Santal Folk-Tales*, 1892, p. 52-56, com algumas alterações no texto. Um bonga é o espírito regente de um certo tipo de plantação de arroz; doms e hadis são povos nativos de castas inferiores, cujo toque é considerado poluente. Os santal são uma tribo sílvicola que vive em Santal Parganas, duzentos e vinte e cinco quilômetros a Noroeste de Calcutá (*Sir* W.W. Hunter, *The Indian Empire*, p. 57-60).

Paralelos: Outra versão aparece em Campbell, p. 106 *seq.*, o que demonstra que a história é popular entre os santal. É óbvio, entretanto, que nenhuma das versões inclui a conclusão real da história, que deve ter contido a exposição das cunhadas assassinas pelo violino mágico. Isso o encaixaria na fórmula de *O osso que canta*, que M. Monseur estuda com uma notável coleção de variantes europeias no *Bulletin of the Wallon Folk-Lore Society of Liège* (*cf. Contos de fada ingleses*, nº IX). Há um osso que canta na obra de Steel e Temple, *Wide-Awake Stories*, p. 127 *seq.* (*Little Anklebone*).

Comentários: Aqui temos outro tema recorrente no folclore europeu encontrado na Índia. Infelizmente, a forma em que ele aparece está mutilada, e não é possível chegarmos a qualquer conclusão precisa a partir dela.

A garça perversa que foi enganada

Fonte: Baka-Jataka, Fausböll, nº 38, trad. Rhys-Davids, p. 315-321. O Buda dessa vez é o Gênio da Árvore.

Paralelos: Essa Jataka entrou para a literatura Bidpai e aparece em todas as suas numerosas ramificações (*Veja* Benfey, *Einleitung*, § 60), entre outras, na primeira tradução para o inglês por North (minha edição, p. 118-122), onde a garça se torna "um notável Arquétipo da Índia (da sorte que vive cem anos e nunca perde as plumas)". O caranguejo, ao ouvir as más notícias "chamou a parlamento todos os peixes do lago", e antes que todos sejam devorados destrói o Arquétipo, como na Jataka, e volta aos peixes que restaram, que "todos em consenso, agradecem-no com abundância".

Comentários: Um ponto interessante, ao qual chamei atenção em minha introdução no Bidpai de North, é a probabilidade de que as ilustrações dos contos, assim como eles próprios, tenham sido traduzidos, por assim dizer, de um país para outro. Podemos encontrá-los em manuscritos em latim, hebraico e árabe, e restam alguns poucos em estupas budistas. Sob tais circunstâncias, pode ser de interesse comparar a concepção da garça e do caranguejo pelo senhor Batten (*supra*, p. 50) com a do artista alemão que ilustrou a primeira edição do Bidpai em latim, provavelmente seguindo as representações tradicionais do manuscrito, que pode, por si só, remontar à Índia.

Laili apaixonada

Fonte: Stokes, *Indian Fairy Tales*, p. 73-84. Majnun e Laili são nomes convencionais para amantes, como Romeu e Julieta do Hindustão.

Paralelos: Viver na barriga de um animal acontece em outro ponto do livro da senhorita Stokes, p. 66, 124; também na obra da senhorita Frere, p. 188. A restauração da beleza por meio do fogo aparece como um tema frequente (*Temple, Survey of Incidents*, III. VI F. p. 418). Leitores recordarão do *dènouement* em *Ela, a feiticeira*, de H. Rider Haggard. A ressurreição a partir das cinzas foi usada de maneira bastante efetiva por Andrew Lang em seu cativante conto *Prince Prigio*.

Comentários: A pele branca e os olhos azuis do príncipe Majnun merecem atenção. São possivelmente uma relíquia dos dias da conquista ariana, quando este povo de pele e cabelos claros dominou os nativos de pele escura. A palavra para casta em sânscrito é *varna*, que significa "cor"; e a forma mais eficaz para um hindu insultar a outro é chamá-lo de negro. *Cf.* Stokes, p. 238-239, que sugere que os cabelos avermelhados são algo solar e deriva dos mitos do herói solar.

O tigre, o brâmane e o chacal

Fonte: Steel e Temple, *Wide-Awake Stories*, p. 116-120; publicado pela primeira vez em *Indian Antiquary*, Vol. XII, p. 170, *seq.*

Paralelos: Nada menos que noventa e quatro paralelos são listados pelo prof. K. Krohn em sua detalhada análise dessa fábula em sua tese, *Mann und Fuchs* (Helsinque, 1891, p. 38-60), aos quais deve-se acrescentar três variantes indianas, por ele omitidas, mas mencionadas pelo capitão Temple, *loc. cit.*, p. 324: no *Bhâgavata Purâna*, no *Gul Bakâolî* e no *Indian Antiquary*, Vol. XII, p. 177; ainda há mais alguns em meu *Esopo*, p. 253 e na obra de Donald Mackenzie Smeaton, *The Loyal Karens of Burma*, p. 126.

Comentários: O prof. Krohn chega à conclusão de que a maioria das formas orais do conto vem de versões literárias (p. 47), enquanto a forma de *O romance de Renart* teve influência apenas sobre uma única variante. Ele reduz o século de variantes em três tipos de formas. O primeiro ocorre em duas versões egípcias colecionadas no séc. XIX, bem como na obra de Pedro Alfonso, no séc. XII, e no *Fabulæ Extravagantes*, do séc. XIII ou XIV: aqui o animal ingrato é um crocodilo, que pede para ser levado de um rio prestes a secar, e há apenas um juiz. O segundo é o da Índia do séc. XIX e representado pela história na presente coleção: aqui, são três os juízes. O terceiro é a versão da Europa Ocidental no séc. XIX, que se espalhou para a África do Sul e Américas do Norte e do Sul: também com três juízes. O prof. K. Krohn cita o primeiro como a forma original, pelo juiz único e à naturalidade da abertura, pela qual a situação crítica é provocada. Uma nova questão é levantada: será que essa forma, embora hoje seja encontrada no Egito, é nativa de lá? E, em caso positivo, como ela chegou ao Oriente? O prof. Krohn reconhece a possibilidade de a egípcia ter sido criada na Índia e levada ao Egito, e admite que as europeias tenham sido influenciadas pela indiana. A forma "egípcia" é encontrada na Birmânia (Smeaton, *loc. cit.*, p. 128), assim como a indiana, fato do qual o prof. K. Krohn não tinha ciência, embora isso conteste todo seu argumento. A evidência que temos de outros contos folclóricos do gênero épico animal terem surgido na

Índia aumenta a probabilidade de esse também ter vindo daquela fonte. A ocorrência "Novamente preso" de *As mil e uma noites* (o gênio e a garrafa) e de contos europeus também é um derivado secundário.

O filho do adivinho

Fonte: Georgiana Kingscote, *Tales of the Sun*, (p. 11 *seq.*), de *Folk-Lore of Southern India*, pt. II, do pândita Natesa Sastri, originalmente em *Indian Antiquary*. Condensei e modifiquei de forma considerável o inglês quase babu do original.

Paralelos: Veja Benfey, *Pantschatantra*, § 71, I., p. 193-222, que cita o *Karma Jataka* como fonte primordial. Ele também aparece no *Saccankira Jataka* (Fausböll, nº 73), trad. Rev. R. Morris, *Folk-Lore Journal*, Vol. III, p. 348 *seq.* A história da ingratidão do homem comparada à gratidão das feras chegou cedo ao Ocidente, onde aparece no *Gesta Romanorum*, c. 119. Foi possivelmente de uma das formas iniciais dessa coleção que Ricardo Coração de Leão tirou a história e usou-a para repreender a ingratidão dos nobres ingleses no momento de seu retorno em 1195. Mateus de Paris conta a história, *sub anno* (é um acréscimo seu a Rodolfo de Diceto), *Historia Major*, ed. Luard, Vol. II, 413-416, de como um leão, uma serpente e um veneziano chamado Vitalis foram salvos de um fosso por um lenhador. Vitalis promete a ele metade de sua fortuna, cinquenta talentos. O leão traz a seu benfeitor uma lebre e a serpente *"gemmam pretiosam"*, provavelmente a "preciosa joia na cabeça" à qual alude Shakespeare (*Como gostais*, ato II, cena I, *cf.* Benfey, *loc. cit.*, p. 214, *n.*), mas Vitalis se recusa a ter qualquer envolvimento com ele e se nega totalmente a pagar os cinquenta talentos. *"Hæc referebat Rex Richardus munificus, ingratos redarguendo".*"

Comentários: Além do interesse em suas extensas viagens e sua aparição na clássica história da Inglaterra medieval contada por Mateus de Paris, a história moderna demonstra a notável persistência dos contos folclóricos no imaginário popular. Aqui publicamos o conto do hindu camponês do séc. XIX que provavelmente foi contado antes de Buda, mais de dois mil anos atrás, e certamente incluído entre as Jatakas antes da era cristã. A mesma coisa ocorreu com *O tigre, o brâmane e o chacal* (nº IX, *supra*).

Harisarman

Fonte: Somadeva, *Kathá-sarit-ságara*, trad. C. H. Tawney (Calcutá, 1880), Vol. I, p. 272-274. Atenuei um pouco o estilo pomposo do original.

Paralelos: Benfey listou e analisou um bom número em *Orient and Occident*, Vol. I, 371 *seq.*; veja também Tawney, *ad loc*. O mais notável dos paralelos é o propiciado pelo conto nº 98 dos irmãos Grimm, "*Doktor Allwissend*" (em português, "O Doutor Sabe-Tudo"), que chega até mesmo à minúcia de ter a mesma exclamação, "*Ach, ich armer Krebs*" ("Oh, pobre Caranguejo"), para depois se revelar o caranguejo sob um prato. A forma habitual usada pelo Doutor Sabe-Tudo para descobrir os ladrões é ter um certo número de dias para fazê-lo e, ao final do primeiro dizer "Lá se vai um deles", falando sobre os dias, logo quando um dos ladrões olha para ele. Daí vêm o título e a trama de *One of Them* ("Um deles"), de Charles Lever.

O anel encantado

Fonte: J. Hinton Knowles, *Folk-Tales of Kashmir*, p. 20-28.

Paralelos: A ocorrência de animais ajudantes é frequente em contos folclóricos: veja as referências bibliográficas *s.v.* "*aiding animals*" em minha lista de ocorrências, *Proceedings of the International Folk-lore Congress of 1891*, p. 88; também Knowles, 21, *n.*; e Temple, *Wide-Awake Stories*, p. 401-412. O anel mágico também é comum no folclore; *cf.* Köhler *ap.* Maria de França, *Die lais der Marie de France*, ed. Warncke, p. IXXXIV. E a história completa se revela bastante difundida desde a Índia (*Wide-Awake Stories*,

p. 196-206) até a Inglaterra (*English Fairy Tales*, nº XVII, "Jack and his Golden Snuff-box" *cf.* Notes *ibid.*), sendo "*Aladim e a lâmpada mágica*" sua forma mais conhecida.

Comentários: E. Cosquin apontou (*Contes de Lorraine*, p. XI. *seq.*) que a ocorrência cauda-de-rato-na-garganta para recuperar o anel do estômago da ogra é encontrada entre árabes, albaneses, bretões e russos. É impossível imaginar essa ocorrência, acontecendo na mesma sequência de incidentes, ter sido criada mais de uma vez, e, se essa parte da história foi emprestada da Índia, não há razão pela qual a história inteira não tenha surgido na Índia e se espalhado até o Ocidente. A variante em inglês deriva de uma em anglo-romani e sugere a possibilidade de que, para essa história em particular, o meio de transmissão tenha sido os ciganos. Ela contém a ocorrência da perda do anel pelo animal leal, que também não pode ter sido criada de forma independente.

𝔄 tartaruga tagarela

Fonte: O *Kacchapa Jataka*, Fausböll, nº 215; também em seu *Five Jatakas*, p. 16, 41, trad. Rhys-Davids, p. VIII-X..

Paralelos: Também aparece na literatura Bidpai, em quase todas suas numerosas ramificações. Veja Benfey, *Einleitung*, § 84; também meu *Bidpai*, E, 4 *a*; e o texto de North, p. 170-175, no qual são as provocações dos outros pássaros que causam a catástrofe: "Oh, cá está uma magnífica visão, veja, cá está uma bela galhofa, que inseto temos aqui", disseram alguns. "Olha, olha, pendurada pela goela e assim nada fala", disseram outros; "e a besta não voa, como boa besta"; ela então abriu sua boca e "rebentou-se no chão".

Comentários: Reproduzi em minha edição a ilustração original do primeiro Bidpai em inglês, ela própria derivada do bloco italiano. Sua réplica aqui serve para mostrar que pode ser usada com sucesso para ilustrar tanto o original em páli quanto seu tataraneto inglês.

Cem mil rúpias por alguns conselhos

Fonte: Knowles, *Folk-Tales of Kashmir*, p. 32-41. Reduzi os conselhos a três e abreviei um tanto a história.

Paralelos: Veja *Celtic Fairy Tales*, nº XXII, "Tale of Ivan", escrito no antigo córnico, agora extinto, e as notas *ibid.* O senhor Clouston aponta (*Popular Tales and Fictions*, Vol. II, p. 319) que ela aparece na literatura budista, nas "Parábolas de Budagosa", como "A história de Kulla Pauthaka".

Paralelos: É de fato curioso descobrir que a história é melhor contada na Cornualha do que em sua terra natal, mas quase não há dúvidas de que a versão budista é a forma mais antiga e original da história. O conselho era originalmente um feitiço, em que um jovem devia dizer a si mesmo: "Por que está ocupado? Por que está ocupado"?. Ele o faz quando ladrões estão nos arredores e então salva os tesouros do rei, dos quais recebe uma fração apropriada. Talvez fosse inteligente que muitos de nós disséssemos a nós mesmos: *"Ghatesa, ghatesa, kim kárana?"*

A serpente que dá ouro

Fonte: Pantschatantra, III, V, trad. Benfey, II, p. 244-247.

Paralelos: Listados em meu *Esopo*, Ro. II, 10, p. 40. Os principais pontos neles são: (1) embora o conto não esteja nem em Fedro, nem em Bábrio, ele aparece em prosas derivadas do latim por Adémar, 65, e Romulus, II, 10, e do grego, em Gábria, 45, e no *Esopo*, ed: Halm, 96; Michael Gitlbauer restaurou a forma bábria em sua edição de Bábrio, nº 160. (2) A fábula aparece entre contos folclóricos na obra dos Grimm, 105; em K.W. Woycicki, *Polnische Volkssagen und Märchen*, p. 105; e em Hugo Gering, *Islendsk Æventyri*, p. 59, possivelmente derivada de La Fontaine, X.12.

Comentários: Benfey comprovou de forma perspicaz e contundente (*Einleitung*, I. 359) que a fábula indiana é a fonte tanto da fábula latina quanto da grega. Tomo por empréstimo de meu *Esopo*, p. 93, sumários dos paralelos das três versões, representando os resultados de Benfey de forma gráfica. Uma série de barras indica as passagens onde as fábulas clássicas deixaram de preservar o original.

Bidpai

Um brâmane, certo dia, avistou uma cobra em seu terreno e, tomando-a por espírito guardião do campo, ofereceu-lhe uma libação de leite em uma tigela. No dia seguinte, encontra uma moeda de ouro na tigela e recebe outra a cada dia depois de oferecer a libação. Um dia estaria alhures e enviou seu filho com a libação. O filho vê o ouro e, crendo estar a toca da serpente repleta de tesouros, decide matá-la. Ele a golpeia na cabeça com uma clava e, enfurecida, a serpente o pica até a morte. O brâmane lamenta a morte do filho, mas no dia seguinte, como de hábito, leva a libação de leite (na esperança de receber o ouro como antes). A serpente aparece após longa demora à entrada de seu covil, e declara o fim de sua amizade, pois não esqueceria o golpe do filho do brâmane, tampouco o brâmane esqueceria a morte de seu filho pela picada da cobra.

Pantschatantra, III, V (Benfey, p. 244-247)

Fedro

Um bom homem fez amizade com a cobra, que entrou em sua casa e trouxe com ela a sorte, de forma que o homem ficou rico por meio dela. Um dia, ele golpeou a serpente, que desapareceu, levando consigo as riquezas do homem. O bom homem tenta reparar o erro, mas a serpente declara o fim de sua amizade, pois não esqueceria o golpe.

Phaedri fabulae aesopiae, C. Dressler, Lib. VII, 28 (Rom. II. XI.)

Bábrio

Uma serpente matou o filho de um fazendeiro a picadas. O pai perseguiu a serpente com um machado e cortou parte de sua cauda. Depois, temendo sua vingança, levou comida e mel a seu covil, e implorou por reconciliação. A serpente, porém, declara impossível a amizade, pois não esqueceria o golpe, tampouco o fazendeiro esqueceria a morte de seu filho pela picada da cobra.

Esopo, ed. Halm 96b (*Babrii fabulae*, Gitlbauer, 160)

Na fábula indiana, cada passo da ação é minuciosamente justificado, enquanto a forma latina não explica por que a cobra foi amistosa, em primeiro lugar, ou por que o bom homem se enfureceu depois; e a forma grega começa de súbito, sem explicar por que a serpente havia matado o filho do fazendeiro. Faça uma composição com as formas de Fedro e de Bábrio e terá a indiana, que assim se demonstra ser a original de ambas.

O filho de sete rainhas

Fonte: Steel e Temple, *Wide-Awake Stories*, p. 98-110, originalmente publicado em *Indian Antiquary*, Vol. X, p. 147, *seq.*

Paralelos: Uma longa variante está em *Indian Antiquary, loc. cit.* Emmanuel Cosquin se refere a diversas variantes orientais, *loc. cit.*, p. XXX, *n.* Para a "direção tabu", veja as anotações de Princesa Labam, *supra*, nº II. A "carta para matar o portador" e a "carta substituída" são frequentes tanto nos contos folclóricos europeus (Veja minha lista, *s.v.* "*letter to kill bearer*" e "*letter substitued*") como nos indianos (*Temple, Survey of Incidents*, II. IV. *b*, 6, p. 410). A ideia de um filho de sete mães só poderia surgir em um país poligâmico. Ela aparece em: "Punchkin", *supra*, nº IV; Day, *Folk-Tales of Bengal*, p. 117 *seq.*; e *Indian Antiquary*, Vol. I, p. 170 (Temple, *loc. cit.* p. 398).

Comentários: Emmanuel Cosquin (*Contes populaires de Lorraine*, p. XXX) salienta como, em uma história siciliana (Laura Gonzenbach, *Sizilianische Märchen*, nº 80), as sete rainhas são transformadas em sete enteadas da bruxa invejosa que faz com que os olhos delas sejam arrancados. Assim, é provável, embora Cosquin não aponte isso, que a "madrasta invejosa" de contos folclóricos (Veja minha lista, *s.v.* "envious step-mother") foi originalmente uma coesposa invejosa. Mas não há dúvidas quanto ao que Cosquin *claramente* aponta – viz., que a história siciliana é derivada da indiana.

Uma lição para os reis

Fonte: Rajovada Jataka, Fausböll, nº 151, trad. Rhys-Davids, p.xxii-xxvi
Comentários: Esta é uma das mais antigas alegorias morais existentes. O tom moralizador das Jatakas deve ser evidente a todos que as leem. Ora, elas conseguem moralizar até mesmo o Boneco de Piche (Veja *infra*, nota em *O demônio do cabelo emaranhado*, nº XXV).

A soberba precede a queda

Fonte: Kingscote, *Tales of the Sun.* Alterei os numerais mercantis indianos para os números na *back-slang* inglesa, o que cria um ótimo paralelo.

Rajá Rasalu

Fonte: Steel e Temple, *Wide-Awake Stories*, p. 247-280, omitindo "Como nasceu o rajá Rasalu", "Como os amigos do rajá Rasalu o desertaram", "Como o rajá Rasalu matou os gigantes", e "Como o rajá Rasalu se tornou um iogue". Há uma versão posterior em Temple, *Legends of the Panjab*,

Vol. I. *Chaupar*, devo explicar, é um jogo disputado por dois adversários com oito peões cada, em um tabuleiro em forma de cruz, sendo quatro peões em cada braço da cruz coberta de quadrados. Os movimentos dos peões são decididos ao se arremessar um dado de formato oblongo. O objetivo do jogo é ver qual dos jogadores consegue mover primeiro todos seus peões até o quadrado preto no centro da cruz (Temple, *loc. cit.*, p. 344 e *Legends of the Panjab*, Vol. I, p. 243-245). Às vezes, diz-se ter originado o xadrez.

Paralelos: Rev. Charles Swynnerton, "*Four Legends about Raja Rasalu*", em *Folk-Lore Journal*, p. 158 *seq.*, e também em um livro próprio, bastante ampliado: *The Adventures of Raja Rasalu*, Calcutá, 1884. Curiosamente, o que é realmente interessante na história acontece após o final, em nossa parte em que Kokilan, depois de crescer, casa-se com o rajá Rasalu e comporta-se como esposas jovens às vezes fazem com maridos idosos. Ele lhe dá de comer o coração de seu amante, *à la* Decamerão, e ela se atira contra as rochas. Para os paralelos dessa parte da lenda, veja minha edição da obra de William Painter, *Palace of Pleasure*, tomo I, conto 39, ou, melhor ainda, o *Programm* de Hermann Patzig, *Zur Geschichte der Herzmäre* (Berlim, 1891). Apostar a própria vida acontece em contos folclóricos celtas e diversos outros; *cf.* minha lista de ocorrências, *s.v.* "gambling for magic objetcs".

Comentários: O rajá Rasalu é possivelmente um personagem histórico, de acordo com o cap. Temple em *Calcutta Review*, 1884, p. 397, que viveu no século VIII ou IX. Há um lugar chamado Sirikap ka-kila nos arredores de Sialkot, sede tradicional de Rasalu na região do Indo, não muito longe de Attock.

Herr Patzig defende com veemência a origem oriental do romance e constata sua ocorrência mais antiga no ocidente pelo trovador anglo--normando Tomás da Bretanha em *Lai Guirun*, que se torna parte do ciclo de Tristão. Não há, pelo meu conhecimento, prova da chegada da primeira parte da lenda de Rasalu (*nossa* parte) à Europa, exceto pela existência de ocorrências envolvendo apostas semelhantes em contos folclóricos celtas e em outros.

O asno em pele de leão

Fonte: Sihacamma Jataka, Fausböll, nº 189, trad. Rhys-Davids, p. V-VI.

Paralelos: Também aparece em Somadeva, *Kathá-sarit-ságara*, trad. Tawney, Vol. II, 65, e *n*. Para paralelos esópicos *cf.* meu *Esopo*, Av. IV. Está em Bábrio, ed. Gitlbauer, 218 (da prosa grega *Esopo*, ed. Halm, nº 323), e Aviano, ed. Robinson Ellis, 5, de onde chegou ao Esopo moderno.

Comentários: Aviano escreveu perto do final do séc. III, e passou para o latim principalmente aqueles trechos de Bábrio que não encontram paralelo em Fedro. Por consequência, como demonstrei, ele tem uma proporção de elementos orientais muito maior do que os de Fedro. É quase certo que "O asno em pele de leão" vem da Índia. Como o prof. Rhys-Davids observa, a forma indiana dá um motivo plausível para o disfarce, o que falta à versão usual de Esopo.

O fazendeiro e o usurário

Fonte: Steel e Temple, *Wide-Awake Stories*, p. 215-218.

Paralelos: Enumerados em meu *Esopo*, Av. XVII. Veja também Jacques de Vitry, *Exempla*, ed. Thomas Frederick Crane, nº 196 (Veja Notas, p. 212), e Nicole Bozon, *Les contes moralisés*, nº 112. Aparece em Aviano, ed. Ellis, nº 22. O senhor Rudyard Kipling tem um conto bastante similar em sua obra *Life's Handicap*.

Comentários: Aqui coletamos na Índia moderna um texto que é inevitável que acreditemos ser a versão original indiana da fábula de Aviano. O conto anterior mostrou que uma de suas fábulas existia entre as Jatakas, provavelmente antes da era cristã. Isso torna provável que encontremos um original indiano mais antigo da fábula do "avarento e o invejoso", talvez entre as Jatakas ainda não traduzidas.

O menino com uma lua na testa e uma estrela no queixo

Fonte: Stokes, *Indian Fairy Tales*, nº 20, p. 119-137.

Paralelos: Heróis e heroínas em contos de fadas europeus com estrelas na testa são listados com certa abundância em Stokes, *loc. cit.*, p. 242-243. Esta é uma característica essencialmente indiana; quase todos os hindus têm alguma marca tribal ou de casta em seu corpo ou rosto. A escolha do herói disfarçado de lacaio também é traço comum de contos de fadas indianos e europeus: veja Stokes, *loc. cit.*, p. 231, e minha lista de ocorrências (*s.v. "menial disguise"*).

O príncipe e o faquir

Fonte: Gentilmente contada pelo senhor M. L. Dames, de sua compilação não publicada de contos balúchi.

Comentários: É um tanto raro encontrar faquires desumanos. Veja Temple, Survey of Incidents, I.II. *a*, p. 394.

Por que o peixe riu?

Fonte: Knowles, *Folk-Tales of Kashmir*, p. 484-490.

Paralelos: A última parte é a fórmula da menina esperta que resolve charadas. Ela foi bibliografada pelo prof. Francis James Child em *English and Scottish Ballads*, Vol. I, p. 485; veja também Benfey, *Kleinere Schriften*, Vol. II, p. 156, *seq.* A prova de gênero no final é diferente de todas aquelas enumeradas pelo prof. Köhler em Gonzenbach, *Sizilianische Märchen*, Vol. II, p. 216.

Comentários: Aqui temos mais um exemplo de uma fórmula completa, ou série de ocorrências, comum à maioria das compilações europeias, encontrada na Índia, e em uma região, ademais, em que a influência europeia é menos propensa a penetrar. O prof. Benfey, em uma detalhada tese ("*Die Kluge Dirne*" em *Ausland*, 1859, n°s 20-25, depois republicada em *Kleinere Schriften*, Vol. II, 156, *seq.*), demonstrou a ampla difusão do tema tanto na literatura indiana antiga (embora ali, provavelmente derivada da cultura popular) e na literatura popular europeia moderna.

O demônio do cabelo emaranhado

Fonte: A *Pancavudha-Jataka*, Fausböll, n° 55, gentilmente traduzida para este livro pelo senhor W. H. D. Rouse, da Christ's College, Cambridge. Há um breve sumário da Jataka no sermão do prof. Estlin Carpenter, *Three Ways of Salvation*, 1884, p. 27, onde ela chamou minha atenção pela primeira vez.

Paralelos: A maior parte dos leitores dessas notas lembrará do episódio central do *Tio Remus* do senhor J. C. Harris, em que o Raposo, irritado com as ações destrutivas do Coelho, monta "um apareio, que chama de Boneco de Piche". Coelho, que passava por ali, conversa brevemente com o Boneco de Piche, e, aborrecido com seu silêncio obstinado, golpeia-o com o punho direito e com o esquerdo, com o punho esquerdo e com o direito, que um após o outro grudam no "apareio", até que por fim ele o acerta com a cabeça, e ela gruda também, depois que Raposo, que todo aquele tempo havia ficado "de boca fechada", aparece e reclama que o Coelho andava muito grudento. Na sequência o Coelho implora ao Raposo "que me afogue como ocê quiser, tire meu couro, rasgue meus olhos, 'ranque minhas oreias e corte minhas pernas, mas não me jogue naquele matagal"; isso, é claro, é o que o Raposo faz, só para ser informado pelo matreiro Coelho que ele havia sido "criado e nascido num matagal". Essa história é uma favorita entre os negros: ela aparece em Charles Colcock Jones, *Negro Myths of the Georgia Coast* (o Tio Remus é da Carolina do Sul), e ocorre também no Brasil (Sílvio Romero, *Contos populares do Brasil*) e nas Índias

Ocidentais (Andrew Lang, "*At the Sign of the Ship*", *Longman's* Magazine, fev. 1889). Podemos rastreá-la até a África, onde ocorre na Colônia do Cabo (*South-African Folk-Lore Journal*, Vol. I).

Comentários: O ataque quíntuplo ao Demônio e ao Boneco de Piche é tão ridiculamente absurdo que não pode ter sido criado de forma independente, e, portanto, podemos presumir que há uma conexão causal entre eles, e a existência da variante sul-africana define a questão e nos oferece uma escala entre a Índia e a América. Não há dúvidas de que a Jataka do Príncipe das Cinco Armas chegou à África, possivelmente por meio de missionários budistas, foi difundida entre os negros, e depois embarcou nos porões dos navios-negreiros para o Novo Mundo, onde é encontrada em uma forma mais completa do que qualquer outra já descoberta até agora em sua terra natal. Digo missionários budistas porque há uma certa quantidade de evidências de que os negros usam símbolos budistas, e só podemos explicar a semelhança entre o Coelho e o Príncipe das Cinco Armas, e assim, com o próprio Buda, ao supor que a mudança tenha se originado entre budistas, onde seria bastante natural. Pois uma das mais célebres metempsicoses de Buda é aquela detalhada na *Sasa Jataka* (Fausböll, nº 316, trad. R. Morris, *Folk-Lore Journal*, Vol. II, p. 336), na qual Buda, como uma lebre, realiza um sublime ato de abnegação, e como recompensa é transportado à Lua, onde pode ser visto até hoje como "a lebre na Lua". Todo budista é lembrado da virtude da abnegação sempre que a Lua está cheia, e é fácil entender como Buda passou a ser identificado como a Lebre ou o Coelho. Uma impressionante confirmação disso, em consonância com nosso tema imediato, é fornecida pelo segundo volume do senhor Harris, *Nights with Uncle Remus*. Aqui, há um capítulo inteiro (XXX) sobre o "coelho e seu famoso pé", e é notório como a adoração ao pé de Buda se desenvolveu mais tarde no budismo. Não é de se estranhar que o Coelho seja tão perspicaz: ele é nada menos do que uma encarnação de Buda. Entre os karens da Birmânia, onde a influência do budismo ainda é presente, a lebre tem exatamente o mesmo lugar no folclore que tem o Coelho entre os negros. O sexto capítulo do livro do senhor Smeaton sobre eles é dedicado a "histórias contadas ao pé da fogueira", e é completamente preenchido por aventuras da lebre, todas com paralelos identificáveis no *Tio Remus*.

Curiosamente, a versão dos negros para o ataque quíntuplo, "lutar com cinco punhos", como chamaria o senhor Barr, é provavelmente mais próxima da lenda original do que aquela preservada na Jataka, embora ela seja dois mil anos mais velha. Pois podemos ter certeza de que o raio de sabedoria não existia no original, mas foi introduzido por algum senhor Barlow budista que, como a duquesa de Alice, terminava todas suas histórias com: "E a moral disso é…" Pois nenhum demônio de boa educação teria sido enganado por uma trapaça tão ordinária quanto a realizada pelo Príncipe das Cinco Armas em nossa Jataka, e é provável, então, que *Tio Remus* preserve uma reminiscência da versão original indiana do conto. Por outro lado, é possível que o deus indiano com fogo no ventre de Carlyle seja derivado do Príncipe das Cinco Armas.

A variante dos negros também sugeriu ao senhor Batten uma explicação para a história inteira que é extremamente plausível, embora introduza um método de exegese do folclore que é exagerado ao extremo. A *Sasa Jataka* permite identificar o Buda "Coelho" com a lebre na Lua. É bem conhecido o fato de que povos orientais explicam um eclipse lunar como a Lua sendo engolida por um dragão ou demônio. Não seria, pergunta o senhor Batten, a *Pancavudha Jataka* uma descrição romantizada de um eclipse lunar? Essa sugestão é fortemente confirmada pela referência do demônio a Rahu, que, na mitologia indiana, engole a Lua no momento de um eclipse. A Jataka, portanto, contém a explicação budista por que a Lua, *i.e.* a lebre na Lua, *i.e.* Buda, não é totalmente engolida pelo Demônio do Eclipse, o Demônio do Cabelo Emaranhado. O senhor Batten acrescenta que ao imaginar que tipo de demônio era o Demônio do Eclipse, o escritor da Jataka provavelmente foi auxiliado por recordações de algum polvo gigante, que tinha olhos redondos e um tipo de bico de falcão, saliências em suas "presas", e um ventre bastante variegado (gastrópode). É obviamente injusto da parte do senhor Batten ilustrar e também explicar tão bem a Jataka do Boneco de Piche, tirando o doce científico, por assim dizer, da boca do pobre folclorista, mas as explicações dele a mim parecem tão convincentes que não pude evitar incluí-las nessas notas.

Eu, entretanto, não estou tão preocupado com a interpretação original da Jataka, mas com traçar suas viagens pelos continentes da Ásia, África e América. Acredito ter feito isso de forma satisfatória, e ter, deste modo, fortalecido em grande medida o argumento a favor de viagens menos extensas no caso de outros contos. Tenho confiança o bastante no método empregado para aventurar-me naquela que é a mais arriscada das atividades, a profecia científica. Aventuro-me a predizer que a história do Boneco de Piche será encontrada em Madagascar em uma forma mais próxima da indiana do que o Tio Remus, e irei mais longe, e direi que ela *não* será encontrada na grande compilação de contos populares de Helsinque, embora ela inclua doze mil contos, de quais mil são com animais antropomórficos.

A cidade de marfim e sua princesa fada

Fonte: Knowles, *Folk-Tales of Kashmir*, p. 211-225, com algumas pequenas omissões. Gulizar é o termo em persa para quem tem bochechas rosadas.

Paralelos: Stokes, *Indian Fairy Tales*, nº 27, "*Pawnpatti Rani*", p. 208-215, é a mesma história. Há outra versão na compilação *Baital Pachisi*, nº 1.

Comentários: Os temas de amor por espelho e o amigo fiel são comuns nos contos europeus, embora a calma tentativa de envenenamento talvez seja tipicamente indiana, e soa como algo retirado da obra do senhor Kipling.

Como Sol, Lua e Vento saíram para jantar

Fonte: Frere, *Old Deccan Days*, nº 10, p. 153-155.

Paralelos: A senhorita Frere observa que não alterou a forma tradicional usada pela Lua para levar o jantar à sua mãe, a Estrela, embora ela receie que isso deva prejudicar o valor da história como lição de moral nos olhos de todos os instrutores da juventude.

Como os filhos malvados foram ludibriados

Fonte: Knowles, *Folk-Tales of Kashmir*, p. 241-242.

Paralelos: Um paralelo gaélico foi apresentado por J. F. Campbell em *Journal of the Ethnological Society of London*, Vol. 2, p. 336; um anglo-latino da Idade Média, por Thomas Wright em *A Selection of Latin Stories* (Percy Society), nº 26; e para estes e outros pontos de interesse antropológico na variante celta veja o artigo de G. Laurence Gomme em *Folk-Lore*, Vol. 1, p. 197-206, "*A Highland Folk-Tale and its Origin in Custom*".

Comentários: O senhor Gomme é da opinião de que a história surgiu a partir de certas fórmulas rimáticas que ocorrem em contos gaélicos e latinos, conforme escrito em um malho deixado pelo ancião na caixa aberta após sua morte. As rimas são no sentido de que um pai que abre mão de sua riqueza em favor dos filhos durante a vida merece ser morto com o malho. O senhor Gomme oferece evidências de que era um costume arcaico executar os idosos quando estes se tornavam inválidos. Ele também aponta que era habitual que os bens fossem divididos e transferidos durante a vida do proprietário, e de forma geral associa uma considerável quantidade de costumes primitivos à nossa história. Já apontei em *Folk-Lore*, p. 403, que a existência do conto na Caxemira sem qualquer referência ao malho, impossibilita que as rimas no malho sejam a fonte da história. Na verdade, são um acréscimo muito inoportuno a ela, já que as rimas depõem contra o pai, e pretende-se que a história deponha contra os filhos ingratos. A existência do conto na Índia torna bastante provável que ele não seja nativo das ilhas britânicas, mas importado do Oriente. É óbvio, portanto, que não pode ser usado como evidência antropológica da existência dos costumes primitivos nele encontrados. O incidente todo é, aliás, um formidável exemplo dos perigos em se usar o método antropológico ao tratar de contos populares antes que seja feita alguma tentativa para solucionar as questões de sua origem e difusão.

O pombo e o corvo

Fonte: A *Lola Jataka*, Fausböll, nº 274, gentilmente traduzida e ligeiramente resumida para este livro pelo senhor W. H. D. Rouse.

Comentários: Começamos com uma Jataka com animais, e é apropriado que encerremos com uma que demonstra como os escritores das Jatakas conseguiam representar os animais de forma efetiva, e como eram, com frequência, extremamente morais em seus contos. Talvez deva acrescentar que o bodisatva não é precisamente o Buda em si, mas um personagem que está em rumo de se tornar perfeitamente iluminado e que pode assim ser chamado de um futuro buda.